Argraffiad cyntaf: 1997

ISBN 1 900437 16 3

Dymuna'r Cyhoeddwyr gydnabod cymorth
Adrannau Cyngor Llyfrau Cymru, Aberystwyth.

Cyhoeddwyd gan Gyhoeddiadau Barddas a Chyngor Gwynedd.

Argraffwyd gan Wasg Dinefwr, Llandybïe.

CAPEL CELYN

DENG MLYNEDD O CHWALU : 1955-1965

Einion Thomas

Cyhoeddiadau Barddas

Diolchiadau

Egin y llyfr hwn oedd arddangosfa ar hanes boddi Capel Celyn a gynhaliwyd yn Y Bala yn ystod haf 1995, deng mlynedd ar hugain ers agor y llyn ym 1965. Gymaint oedd 'poblogrwydd' yr arddangosfa fel y penderfynwyd cyhoeddi llyfr lluniau o'r hanes.

Cytunodd Barddas i gyhoeddi'r gyfrol gan weithio ar y cyd â Gwasanaeth Addysg a Diwylliant Cyngor Gwynedd. Mae'r diolch cyntaf yn haeddiannol felly i Barddas ac yn enwedig y Prifeirdd Alan Llwyd ac Elwyn Edwards am ymgymryd â'r cyfrifoldeb o gyhoeddi'r llyfr. Yn ychwanegol mae fy nyled yn fawr i Elwyn am ei gymorth a'i sylwadau buddiol yn ystod cyfnod paratoi'r gwaith. Diolch hefyd i Bryn Parry, cyn-Archifydd Gwynedd, Ann Rhydderch-Dart, Prif Archifydd Gwynedd, a Dafydd Whittall, y Cyfarwyddwr Addysg, am eu cefnogaeth barod i'r fenter.

'Rwyf hefyd yn ddyledus i'r canlynol am eu parodrwydd i ateb unrhyw ymholiad: y Cyng. Owain Williams, Philip Evans, Martha Jane Roberts, Lona Gwilym, Watcyn L. Jones, John Lewis Jones, Ifor Owen, Peter Brooke, A.S., Dr William Griffith, Eryl Wyn Rowlands, Gareth Evans, Cassie Williams, Cadwaladr Edwards a'r diweddar Henry Owen.

Diolch hefyd i'r Henadur Gwynfor Evans am gytuno i ysgrifennu'r cyflwyniad ac i Marian Delyth am ei gwaith crefftus yn cynllunio'r gyfrol.

Heb ganiatâd y canlynol ni fyddai'r llyfr yn bodoli. Diolch, felly, i'r canlynol: i Dŵr Cymru, Llyfrgell Genedlaethol Cymru (casgliad Geoff Charles), Y Farwnes Brooke o Ystradfellte, Hulton Deutsche, *Daily Post*, Gwasg y Sir, *Y Cymro*, Gwasg y Lolfa, Gwasg Gee, Catherine Thomas a Hywel Lloyd Davies.

Yn olaf diolch i Janet Simcox am y gwaith teipio ac yn fwy na dim am ei hamynedd wrth geisio datrys fy nodiadau blêr.

Cyflwyniad

Bu boddi Cwm Tryweryn a phentref Capel Celyn yn un o enghreifftiau mwyaf cywilyddus y trigain mlynedd diwethaf o ormes Llywodraeth Loegr yng Nghymru. Yr unig ddau achos sy'n dal cymhariaeth yw plannu ysgol fomio ym Mhenyberth a dwyn hanner can mil o erwau Mynydd Epynt a dinistrio'r gymdeithas Gymraeg yno er mwyn i'r Swyddfa Ryfel greu maes tanio.

O'r dechrau triniwyd y Cymry gyda dirmyg a sarhad gan Gyngor dinas Lerpwl, Cyngor dinas a chanddi gymaint o boblogaeth â naw sir mwyaf gogleddol Cymru gyda'i gilydd. Penderfyniad cwbl unochrog y Cyngor oedd boddi'r cwm a'r pentref. Gwnaeth y penderfyniad hwn heb ymgynghori â neb yng Nghymru. Ni thrafodwyd y bwriad gyda thrigolion y cwm na'r cyngor dosbarth na'r cyngor sir, neb oll.

Y tro cyntaf i drigolion Capel Celyn a'r cwm ddod i glywed am y penderfyniad oedd darllen amdano ym mhapur y ddinas, y *Liverpool Daily Post*. Ni ddangosodd y Cyngor na phobl y ddinas ddim euogrwydd yn y byd eu bod yn bwriadu dileu cymuned Gymraeg eithriadol o ddiwylliedig, gan chwalu eu cartrefi, eu hysgol a'u capel a'u mynwent, dwyn eu tir a dwyn yn ddi-dâl y dŵr sy'n un o adnoddau naturiol cyfoethocaf ein gwlad. Nid i gyflawni angen am ddŵr yfed y gwneid hyn; câi'r ddinas fwy na digon o ddŵr o Lyn Llanwddyn lle y dinistriodd gymuned Gymraeg yn nechrau'r ganrif i gwrdd â'i hanghenion domestig. Dŵr ar gyfer diwydiant Lerpwl, Glannau Merswy a Sir Gaer oedd yr angen.

Galwyd Pwyllgor Amddiffyn ynghyd ar unwaith yn Y Bala i wrthwynebu'r cynllun trahaus. Trefnodd ymgyrch rymus iawn. Un o'r prif resymau am ei grym oedd effeithiolrwydd cwbl ymroddedig ei ysgrifennydd, Elisabeth Watcyn Jones, un o

ferched diwylliedig Watcyn o Feirion, yntau'n ŵr o ddiwylliant cyfoethog, yn fardd gwlad, canwr penillion o fri ac arweinydd côr. Gyda chymorth Plaid Cymru trefnwyd cyrddau cyhoeddus trwy'r wlad; anerchodd Mr Watcyn Jones, brawd yr ysgrifennydd, gyfarfodydd mewn dinasoedd Seisnig; a chynhaliwyd cwrdd llewyrchus iawn yn Senedd-dy Westminster.

Rhoddwyd cymorth sylweddol gan nifer o Gymry Cymraeg Lerpwl gyda dau gyfarfod mawr yn y ddinas. Roedd yr ail yn gwrdd y bu'n rhaid i Gyngor Lerpwl ei drefnu er mwyn dangos bod y dinasyddion wrth gefn cynllun y gronfa ddŵr. Heb hynny ni châi gyflwyno mesur seneddol. Ond pan ddaeth yn amser i'r cwrdd ddechrau, am ddau o'r gloch, cafodd y cadeirydd, yr Henadur John Braddock, fraw wrth sylweddoli bod y Cymry gwrthwynebus yn y mwyafrif. Bu'n rhaid iddo oedi dechrau ac ymofyn presenoldeb gweision y Cyngor. Chwarter awr yn ddiweddarach dechreuasant lifo i mewn, nifer ohonynt yn lifrai'r gwasanaeth dŵr. Pan ofynnodd Dewi Prys-Thomas pam yr oedd llu o weithwyr y Cyngor yn bresennol, atebodd John Braddock:

> *I am not responsible for the intelligent interest which the Council's employees take in the affairs of their city.*

Roedd cloc y ddinas yn taro chwarter i dri cyn bod y cadeirydd yn sicr o fwyafrif.

Rheswm arall am rym y gwrthwynebiad oedd cymeriad cadarn trigolion y cwm. Oni orymdeithiodd aelodau'r gymuned wledig ddiarffordd gyda baneri a phlacardiau drwy strydoedd canol dinas Lerpwl? Ym mha le y bu'r fath ddigwyddiad gwrol o'r blaen? Ac onid aethant i Fanceinion i fynegi eu gwrthwynebiad yn llew ar deledu Granada yn nyddiau cynnar y cyfrwng nerthol hwnnw? Enghraifft nodweddiadol o ansawdd eu cymeriad oedd Dafydd Roberts, Caefadog, cadeirydd y Pwyllgor Amddiffyn. Daeth ef, yn un o dri, i ymyrryd â'r drafodaeth ar foddi Cwm Tryweryn yng Nghyngor Lerpwl a chael ei lusgo allan gan yr heddlu.

Lledodd y gwrthwynebiad trwy Gymru benbaladr. Anfonodd J. E. Jones, trefnydd Plaid Cymru, gannoedd lawer o lythyrau ar ran y Pwyllgor Amddiffyn at gynghorau a chymdeithasau o bob math. O'r 1,055 o gyrff cyhoeddus a fynegodd eu gwrthwynebiad yr oedd 125 yn awdurdodau lleol, gan gynnwys cynghorau Y Rhondda, Pontypridd, Aber-carn, Glyn Ebwy, Bryn-mawr, Mynydd Islwyn a Chas-gwent. Eithr parhaodd Lerpwl i fynnu bod ganddi bob hawl i ddwyn tir a dŵr Cymru. Dywedodd ei chownsel yng ngwrandawiad Tŷ'r Arglwyddi:

> *Liverpool Corporation have to take the constitution as they find it. There is at the moment no separate Welsh Government; there is no separate demarcation of Wales from England from the point of view of administration or from the point of view of water supplies.*

Yn yr un gwrandawiad mynnai'r Henadur Cain, cadeirydd Pwyllgor Dŵr Lerpwl, mai cenedlaetholwyr haerllug yn unig oedd yn gyfrifol am y gwrthwynebiad. Dywedodd:

> *They had carried children all the way to Liverpool to sing nationalist songs outside the City Hall.*

Y 'nationalist songs' oedd ein hanthem genedlaethol, 'Mae hen wlad fy nhadau', ac emyn Elfed 'Cofia'n gwlad, benllywydd tirion'.

Erbyn hyn roedd hyd yn oed A.S.au Cymru wedi ymuno yn y gwrthwynebiad. Yr unig un a fu mor gywilyddus â bwrw ei bleidlais dros Lerpwl yn yr ail ddarlleniad oedd Syr David Llewelyn. Ond, wrth gwrs, cariwyd mesur Lerpwl yn rhwydd. Er bod y genedl Gymreig yn fwy unol nag y bu hi erioed ar ddim, Saeson a benderfynodd dynged Capel Celyn a Chwm Tryweryn. Fel y pwysleisiodd Henry Brooke, y gweinidog Materion Cymreig, mai yno ym mro Penllyn yr oedd *the most obvious and cheapest source of water for Liverpool'.*

GWYNFOR EVANS
Pencarreg
Llanybydder

Mehefin, 1996

Llyn Celyn

O'i oer dud is cur ei don
Adalw mae'r adfeilion.
Taer yw hiraeth Tryweryn
A'i holl werth yn waelod llyn.

Rhwygo'i hedd a boddi'r gân
Er gofal Cymru gyfan;
Rhynnu parth gwarineb hen
A rhywiog noddfa'r awen.

Nid llyn fydd Celyn 'n y co'
Ond offrwm ddaeth i'n deffro;
O oes i oes fe fydd sôn
Am ystryw a grym estron.

Gwynlliw Jones

Dafydd Roberts, Caefadog

Cadeirydd Pwyllgor Amddiffyn Capel Celyn
a gladdwyd ym mynwent Llanycil
Hydref 15 1965

O'i mewn, ac ar ei meini – enwau dewr
A dorrwyd lle cysgi;
O enwau dewr, dy enw di,
Y dewraf, gaiff ei dorri.

Geraint Bowen

Y Bwriad

Erbyn canol y pumdegau credai Lerpwl na fyddai digon o ddŵr ganddi i gyflenwi ei gofynion am y dyfodol. Roedd y cyflenwad o Lanwddyn a Rivington yn ddigon i ddiwallu'r ddinas ond gan ei bod yn cyflenwi dŵr i awdurdodau eraill, ofnid na ellid erbyn diwedd y ganrif ddiwallu gofynion glannau Merswy i gyd. Aethpwyd ati felly i ganfod ardaloedd y gellid eu boddi i greu cronfeydd dŵr. Archwiliwyd safleoedd yn Ardal y Llynnoedd, ond y casgliad oedd y byddai'r gost yn enfawr. Yr un oedd y ddadl o geisio puro dŵr afon Merswy. Edrychwyd felly tua Chymru gan ganolbwyntio yn gyntaf ar Ddolanog ym Maldwyn, bro Ann Griffiths. Buan iawn y cododd dadlau yn erbyn y boddi, a hefyd, yn fwy pwysig i Lerpwl, fe fyddai'r cyflenwad a dderbynnid o Ddolanog yn rhy isel i gyfiawnhau'r gost.

Gyda lleihau'r bygythiad i foddi Dolanog, canolbwyntiodd Lerpwl ar ardal Y Bala. Un syniad oedd adeiladu argae ar afon Celyn yn uwch i fyny na Thryweryn, un arall oedd adeiladu argae islaw Fron-goch ger Tyn-ddôl. Edrychwyd ar gymoedd y Ceidiog a'r Hirnant ac aethpwyd mor bell ag atgyfodi hen syniad o adeiladu argae ar afon Dyfrdwy ger Bodweni a chreu llyn enfawr a fyddai'n ymestyn o gyrion Llandderfel hyd at Lanuwchllyn gan foddi nid yn unig ffermydd ar lawr y dyffryn ond hefyd bentref Llanfor a thref Y Bala. Gwrthodwyd yr holl gynlluniau hyn a dechreuwyd gweld ardal Capel Celyn fel lle delfrydol i'w foddi.

In finding a solution to our present problem of making provision for future needs for water which are vital, not only to Liverpool but to the whole of North Merseyside and other important authorities outside, I hope that if it becomes our responsibility to put forward a scheme in Wales it will prove of mutual benefit to Welsh people as well as to others dependent on our Water Undertaking.

Yr Henadur Frank H. Cain
mewn datganiad i Bwyllgor Dŵr Lerpwl, Hydref 18, 1955

Rehousing people at a new site cannot destroy Welsh culture.
Let us remember the happy atmosphere at lake Vyrnwy.
One has only to visit the place and to talk to the people to appreciate that.

Bessie Braddock A.S.

1

1. Llyn Efyrnwy a gwblhawyd gan Lerpwl ym 1889. Fel gyda Chapel Celyn, fe foddwyd pentref ac amaethdai.

2

2. Tudalen flaen *Y Cymro*, Medi 22, 1955.

3

3. Gyda Chelyn yn ymddangos fwyfwy i Lerpwl fel y lle gorau i adeiladu cronfa, dechreuwyd gwneud arolwg daearegol o'r Cwm. Yn ôl trigolion Celyn, ni chafwyd gwybodaeth fod yna arolwg yn cael ei wneud, tra dadleuai Lerpwl eu bod wedi cysylltu â'r tenantiaid ynghyd â'r Cyngor Sir a stad y Rhiwlas, y prif dirfeddiannwr yn y cwm.

Mae digon o seiliau dros gredu na fu bwriad gwirioneddol i foddi Dolanog o gwbl, ac nad oedd dewis Capel Celyn fel ail le ond rhan o'r twyll tuag at wanhau unrhyw wrthwynebiad a ddisgwylid o Gwm Tryweryn.

Llyfr Munudau Pwyllgor Amddiffyn Capel Celyn – Mawrth 1956

4

4. Profi ansawdd y tir lle yr adeiladwyd yr argae yn nes ymlaen. Y gweithwyr yw Malcolm Edwards a Trefor Evans o'r Bala, gyda Glyn Roberts, Tŷ Cerrig, yn gwylio.

Capel Celyn

Saif Cwm Tryweryn ryw bum milltir i'r gogledd o'r Bala ar y ffordd sy'n arwain i Drawsfynydd. Ym mhen ucha'r cwm mae Llyn Celyn, ac o dan y dŵr saif olion pentref Capel Celyn: tai, ysgol, llythyrdy, capel a mynwent. Yn ogystal, boddwyd deuddeg o dai a ffermydd gan achosi i 48 allan o'r 67 o drigolion yr ardal golli eu cartrefi. Amaethyddiaeth oedd y prif ddiwydiant gyda'r mwyafrif o'r ffermwyr yn denantiaid ar stad y Rhiwlas tra gweithiai eraill ar y rheilffordd neu yn chwarel gyfagos Arenig.

5

Cwm Celyn cyn y boddi

Hen ruddin ein gwareiddiad – dihafal
Cyn dyfod diddymiad.
Mae'r cyfan o'i ddiflaniad
Ynghlwm wrth lwfrdra fy ngwlad.

Elwyn Edwards

5. Cwm Tryweryn yn edrych i lawr y dyffryn tuag at safle arfaethedig yr argae. Ychydig cyn Nadolig 1955 cafwyd datganiad gan Gorfforaeth Lerpwl ei bod am gyflwyno Mesur Preifat i'r Senedd am yr hawl i godi argae ar afon Tryweryn, a chreu llyn a fyddai'n boddi'r ardal hon.

6. Ardal Celyn, y mannau a gollwyd.

Y mae hon yn ardal lle mae pob enaid cant-y-cant yn siarad Cymraeg . . . ac wedi gwneud eu rhan i gadw diwylliant a chrefydd. Er nad oes Ann Griffiths na Williams Pantycelyn wedi eu magu yma, gallwn ymffrostio yn ein beirdd, ein hathrawon a'n llenorion, rhai y bu Cymru ar ei mantais o'u cael.

Dafydd Roberts, Caefadog

7

9

8

7. Tyddyn Bychan.

8. Y Tyrpeg.

9. Hafod Fadog.

10

11

10. Dafydd ac Elin Jones yng nghegin Hafod Fadog.

11. Mynwent y Crynwyr ger Hafod Fadog. Yn niwedd yr ail ganrif ar bymtheg roedd nifer fawr o Grynwyr yn byw yn yr ardal. Un o'r mannau cyfarfod oedd Hafod Fadog ac yn y fan yma hefyd y sefydlwyd claddfa i'r Cyfeillion. Byr fu arhosiad y Crynwyr gan i ormes ac anoddefgarwch orfodi llawer ohonynt i ymfudo i'r Unol Daleithiau ac ymsefydlu ym Mhennsylfania.

12. Y Garnedd Lwyd. 13. Coed Mynach. 14. Caefadog. 15. Y Gelli. 16. Rhif 1 a 2 Brynhyfryd.

13

14

15

16

18

17. Glenys Evans, Brynhyfryd, a'i merch Ann gyda'r Nyrs Gymuned, Gwen Morgan Jones.

18. Agorwyd yr ysgol ym 1881. Gwasgaredig a bychan oedd y boblogaeth a chwynai'r athrawon yn aml pa mor anodd oedd i'r plant ddod i'r ysgol oherwydd tywydd drwg. Pedwar ar ddeg oedd ar y gofrestr pan gaewyd hi.

19. *This one teacher school serves the remote scattered rural area of Cwm Tryweryn and is a thoroughly Welsh speaking area with proud traditions of musical and literary culture . . . The teaching of English presents obvious difficulties as the pupils hear very little, if any, English outside school.*

Rhan o adroddiad olaf Arolygwyr ei Mawrhydi
ar Ysgol Celyn ym Mehefin, 1958

20

20. Y Pentref gyda Glan Celyn a'r Swyddfa Bost.

21. Harriet Parry, Bethan Parry a John Parry, Y Llythyrdy, gyda Watcyn o Feirion. Teulu'r Post oedd y rhai olaf i adael y cwm.

21

22

23

Nid ydym yn hoffi o gwbl fod treftadaeth ein hynafiaid yn cael ei dwyn, gyda'i chapel lle y llafuriwyd yn ddiwyd i'w godi, a'r fynwent, lle y gorwedd eu llwch.

Dafydd Roberts, Caefadog

22. Y Capel, Tŷ Capel a fferm Tynybont, o gyfeiriad y pentref.

23. Aelodau'r Capel, yn oedfa'r nos, Sul y Pasg, 1956.

24. Rhai o aelodau'r Capel a'r pregethwr ar eu ffordd adref o'r Oedfa ar fore Sul.

O'r chwith i'r dde: Dafydd Roberts, Caefadog; Y Parch. S.O. Hughes, Llanuwchllyn; James Edwards, Penbryn Mawr; David George Jones, Boch y Rhaeadr.

Tybir mai'r canlynol yw'r merched sydd ar y blaen iddynt:

Bethan Parry, Y Post; Mrs Hannah Owen, Filltir Gerrig; Mrs Jini Rowlands, Y Gelli; Glenys Evans, Brynhyfryd; a Mrs Ellen Roberts, Caefadog.

25. Gwerndelwau. Ar safle Gwerndelwau yr adeiladwyd y Capel Coffa.

26

28

27

26. Moelfryn.

27. Pont Tryweryn. Safai hon ar y ffordd a redai o groesffordd Maes-y-dail gan gysylltu ffermydd Gwerngenau, Boch y Rhaeadr a'r Penbryn Mawr gyda'r pentref. Rhaid fod y llyn yn eithriadol o isel ym 1989 i beri iddi ddod i'r golwg.

28. Dôl Fawr.

29

29. Penbryn Mawr. Cyfrifid hon yn un o ffermydd gorau'r ardal.

Y Gwrthwynebiad

Yn fuan wedi i benderfyniad Lerpwl i foddi Cwm Celyn ddod yn gyhoeddus aethpwyd ati yn lleol i ffurfio Pwyllgor Amddiffyn. Yn dilyn cyfarfod yng Nghelyn ym Mawrth 1956 etholwyd aelodau i'r pwyllgor, sef: Dafydd Roberts, Cadeirydd; John Abel Jones, Trysorydd; Elisabeth M. Watkin Jones, Ysgrifenyddes; Cadwaladr Edwards; Watcyn o Feirion; John Guest; Gwilym Pugh; E. P. Roberts a Iorwerth Roberts. Yn nes ymlaen ymunodd Ifor Owen a'r Parch. Gerallt Jones, y ddau o Lanuwchllyn, â'r Pwyllgor. Dewiswyd hefyd nifer o Gymry amlwg yn Llywyddion Anrhydeddus, yn eu mysg T. W. Jones, yr Aelod Seneddol lleol, yr Henadur Gwynfor Evans, a Syr Ifan ab Owen Edwards. Gyda'r Pwyllgor wedi ei sefydlu bu'r Ysgrifennydd yn dyfal ganfasio Cymru benbaladr am gefnogaeth i drigolion Celyn yn erbyn y boddi.

Ym mis Medi 1956 trefnwyd rali fawr yn Y Bala gan Blaid Cymru pan ddaeth tua phedair mil ynghyd i ddangos eu gwrthwynebiad i'r cynllun. Ymysg yr amryw negeseuon a ddarllenwyd yn cefnogi'r ymgyrch yr oedd un gan Eamon De Valera, arweinydd plaid Fianna Fáil yn Iwerddon.

Un nod gan y Pwyllgor Amddiffyn oedd cael cyfarfod gyda Chyngor Dinas Lerpwl i roi eu hochr hwy o'r ddadl. Drwy gael cyfarfod gyda'r Cyngor llawn teimlid y gellid argyhoeddi pobl Lerpwl faint y gwrthwynebiad yng Nghymru. Gwrthod y cais a wnaeth y Cyngor gan ddadlau nad oedd yn arferiad ganddynt dderbyn dirprwyaeth er y gallai dirprwyaeth annerch Pwyllgor Dŵr y Ddinas. Teimlai'r Pwyllgor mai sarhad oedd hyn a phenderfynwyd y byddai tri chynrychiolydd, sef Gwynfor Evans, y Parch R. Tudur Jones a Dafydd Roberts, yn mynd yn ddiwahodd i annerch y Cyngor. Ar Dachwedd 7, 1956, safodd Gwynfor Evans mewn cyfarfod llawn o'r Cyngor a dechrau eu hannerch. Roedd yr ymateb yn ffrwydrol gyda'r heddlu yn cael eu galw i hebrwng y tri allan o'r Siambr.

Ar Dachwedd 21, aeth trigolion Capel Celyn eu hunain i Lerpwl gan orymdeithio drwy'r ddinas. Y tro yma cafodd Gwynfor Evans yr hawl i annerch y Cyngor am chwarter awr ac er iddo gael derbyniad gwresog, ni newidiwyd meddyliau'r cynghorwyr.

Cwm Tryweryn
(Cyflwynwyd i Bwyllgor Amddiffyn Capel Celyn)

Cyfododd y Golïath pres yn Lerpwl
I waradwyddo ac ysbeilio'r werin;
Gan gasglu'r afonydd at ei gilydd i gyd
I foddi'r gymdeithas yn Nhryweryn:
Tyred, Ddafydd, â'th gerrig o'r afon,
A Duw y tu ôl i'th ffon-dafl
I gadw emynau Capel Celyn,
A baledi Bob Tai'r Felin
Rhag eu mwrdro gan y dŵr yn argae'r diafl.

Gofyn, Ddewi, i Dduw yn dy weddïau
Am gadw rhag y Philistiaid dy werin:
Arweiniwch, y ddau Lywelyn a Glyndŵr,
Eich byddinoedd i Gwm Tryweryn:
A thi, y Michael mawr o Fod Iwan,
Pe byddent yn Y Bala yn awr,
Ni châi mynwent wag Capel Celyn,
Cartref a chnwd a chân a thelyn
Eu claddu tan argae'r dienwaededig gawr.

D. Gwenallt Jones

Cyhoeddwyd gyntaf yn *Y Seren*, Rhagfyr 29, 1956

Y mae un o ddinasoedd mwyaf Lloegr yn dwyn trais ar ddarn pwysig o Gymru a thrwy'r darn hwnnw, ar Gymru gyfan.

Dr Thomas Parry, rhan o'i anerchiad a ddarllenwyd yn rali Plaid Cymru yn Y Bala, Medi 29, 1956

30. Dafydd Roberts, Caefadog, Cadeirydd y Pwyllgor Amddiffyn. Amaethwr, postman, cynghorydd a blaenor, ef oedd y dewis naturiol i arwain yr ymgyrch yn erbyn y boddi.

31. Elisabeth Watkin Jones, Ysgrifenyddes y Pwyllgor Amddiffyn. Athrawes a fagwyd yn y cwm ac a ysgrifennodd gannoedd o lythyrau at wahanol fudiadau ac unigolion yn eu hannog i wrthwynebu'r boddi.

32. Adroddiad yn *Y Seren*, y papur lleol, ar Ionawr 14, 1956, am y cyfarfod cyntaf gan drigolion Celyn i wrthwynebu'r boddi.

31

32

RHYFEL DROS ARDAL CELYN

Nos Wener cyntaf o'r flwyddyn yng nghapel Celyn, cyfarfu'r ardalwyr ac amryw o'r brovdd cyfagos dan arweiniad C. O. Jones, Ysw.. Gwerngenau, i gychwyn yr ymgyrch yn erbyn ymgais Corfforaeth Lerpwl i foddi'r cwm.

Daeth distawrwydd rhyfedd pan ofynnodd y llywydd i'r Parch. H. W. Hughes ddechrau'r cyfarfod gyda gweddi. Tarawyd yn y weddi nodyn a barodd drwy'r cyfarfod, a chan mor ddwys y teimladau gallesid yn briodol fod wedi diweddu'r cyfarfod gyda'r emyn a orffen—

"Yn wyneb pob caledi
Y sydd neu eto ddaw,
Dod gadarn gymorth inni
I lechu yn dy law."

Cafwyd gair byr gan nifer oedd yn bresennol, ac ar wahan i'w geiriau, hawdd deall eu teimladau pan glywid y cryndod yn dod i'r llais, neu pan y gwelid llyn bach o ddŵr yn cronni yng nghornel y llygaid.

"Yma mae beddrodau'r tadau
Yma mae ein plant yn byw."

Er mai dwyster nodweddai araith pawb pan yn sôn am golli eu cartrefi, eto gellid teimlo bod ysbryd "Beca" heb gilio o dyrpec Hafod Fadog, a hawdd y gallaf gredu mai yn y Llyn Cam y bydd gwyr mawr Lerpwl yn cael eu trochi os daliant ati i fygwth.

Yr oedd Cadeirydd ac Ysgrifennydd Undeb Amaethwyr Meirion yn bresennol er cario protest y cyfarfod i'w Pwyllgor.

Rhoddwyd ar y Parch. H. W. Hughes i gyflwyno penderfyniad y cyfarfod i'r Henaduriaeth yn y Bala, ac i ofyn am eu cefnogaeth.

Yn ddios y mae achub Celyn yn bwysig i'r ardalwyr; y mae hefyd yn bwysig i Gymru gyfan gan fod bodolaeth ei gwerin yn y clorian.

Galwn ar Gymru—
"Dros fri ein tir, dros fraint hen,
Dros ein Duw, dros nwyd Awen,
Dros aelwyd ddoeth, dros wlad dda,
Rhyfelwn a'r arf oal'."

33. a/b. Trefnwyd cyfarfodydd cyhoeddus ar hyd a lled y wlad i ddadlau achos trigolion Celyn. Yn ogystal, anogwyd pobl i anfon llythyrau o brotest yn erbyn y cynllun at Gyngor Lerpwl.

34. Gwynfor Evans a ddaeth yn amlwg iawn yn yr ymgyrch yn annerch rali Plaid Cymru yn Y Bala, Medi 29, 1956, yn erbyn y boddi. Yn y cefndir Dr Gwenan Jones a'r Cynghorydd Tom Jones, Llanuwchllyn.

33a

AMDDIFFYN CAPEL CELYN

CYFARFOD CYHOEDDUS

YN NEUADD YR AELWYD

★ CORWEN ★

NOS WENER HYDREF 5

I Ddechrau am 7.30p.m.

Siaradwyr :--

Henadur E. P. ROBERTS, Llanfor
TOM JONES Ysw., Y.H., C.S.,
Ac Eraill

Cadeirydd : Parch. GORONWY OWEN B.A., Corwen

DAN NAWDD PWYLLGOR AMDDIFFYN CAPEL CELYN

CROESO CYNNES I BAWB

GWASG Y BALA

33b

34

AT Y GOLYGYDD

Annwyl Syr,

Ynglŷn â Chynllun Dŵr Corfforaeth Lerpwl i foddi ardal Capel Celyn, mae'n hyfrydwch gennyf dystio fod serwydd pendant yn dod i law yn ddyddiol fod cydymdeimlad mawr â mi, a llawer yn barod i ddangos cefnogaeth ymarferol, er nad ydym hyd yn hyn wedi gwneud apêl gyhoeddus.

A gaf fi apelio yn garedig trwy'r "Seren", ar i bob Mudiad neu Bwyllgor neu Gymdeithas sydd eisoes wedi datgan protest i Lerpwl adael i mi wybod am hyn, ynghyd a chopi o'r protest? Dylid danfon copi befyd i'r A.S. lleol gan alw arno wrthwynebu'r Cynllun.

Gwahoddwn ymhellach benderfyniadau gan bob math o fudiad ac Eglwys ac Undeb a Sefydliadau sy'n cefnogi gwrthwynebu'r cynllun. Dylid danfon y protestiadau i Mr. Thomas Alker, LL.M., Town's Clerk Office, Municipal Buildings, Dale Street, Liverpool 2. Eto, dymunaf gael copïau i'r Pwyllgor ac i'r A.S.

Gwahoddwn hefyd unigolion i weithredu yn yr un dull. Ein bwriad yw gwrthsefyll hyd ein gallu, ac mae pob cefnogaeth yn bwysig ar gyfer y dyfodol.

Yr eiddoch,
Dros y Pwyllgor Amddiffyn,
ELIZABETH M. WATKIN JONES,
Ysg.

36

> When against terriffic odds a small nation is seeking to preserve its personality and culture the destruction of any area where the language and national characteristics have been traditionally preserved would be a misfortune which every effort should be made to avoid.
>
> Material economic advantages are far too dearly bought when secured at the loss of an inspiring spiritual inheritance and some modern efficiency enthussiasts need to have this fact forcibly impressed upon them.
>
> When alternatives which do not involve such a loss are available, all who believe that man has needs other than those of the body will sympathise with the people of the Welsh nation in their efforts to see that alternatives to the Tryweryn scheme be found and adopted. I wish you every success.
>
> *Éamon De Valéra*
>
> **Sept. 24, 1956.**   **Dail Eireann, Dublin.**

35. Rhan o'r orymdaith adeg y rali yn Y Bala.

36. Neges o gefnogaeth i drigolion Capel Celyn gan Eamon De Valera, arweinydd y blaid Fianna Fáil yn Senedd Iwerddon. Darllenwyd yn y rali yn Y Bala.

37. a/b/c. Tri o'r cannoedd o lythyrau gan fudiadau ac unigolion yn dadlau yn erbyn boddi Cwm Celyn.

37a

COPY

> Long Meadow,
> Raby Mere,
> Wirral.
>
> 14.11.56.

The Lord Mayor and Members of Liverpool Corporation and the Water Committee in particular.

TRYWERYN

You propose to flood this village to supply Liverpool with water, you without the slightest compunction or consideration of the villagers and farmers who would lose their homes, their land and everything that they value to suit you, a damned lot of villains, selfish, rotten, greedy, corrupt and dishonest - so called Councillors. What damnable hypocrisy - I am all right, the other fellow, can go to hell - thats you.

Did you ever consider what a dirty lousy scurrilous trick this is to play on anyone, and let me ask you this question. If you lived there - your family before you, probably for generations and your ties were there, would you like to have this dirty lousy scurrilous trick played on you. Have you ever imagined yourselves in the position of these folk, if not, just do so and think out how you would like it.

Anyone to hear you blatant fools, would think you had a right to destroy other people's homes and land, whereas you have none whatever, moral or otherwise.

You would be dictators, would be Hitlers and Stalins, criticise Russia, one need not go out of Liverpool to find them, Liverpool Council are a good sample. I can only liken your proposed action to that of Russia in Hungary. You are equally as bad and I suggest to the Welsh folk that they get together and lay out the first people that venture to touch their land or homes and to carry out this devilish work and also any councillor who shows his face.

You can get all the water you want by sinking wells without going to Wales at all and I say that if you deliberately carry out this project of destruction, I shall, without hesitation, call upon the Almighty, whose prerogative it is, to curse you all for your devils work. May I say that I make no apology for writing this to a lot of selfish swine.

(Signed) A. M. Kissack.

37b

NATIONAL UNION OF MINEWORKERS

(SOUTH WALES AREA).

LODGE...MORLAIS...

Liverpool Corporation,   23, Bryn Rhos",
Liverpool.   Gelli Road,
                                LLANELLY.

We the Members of Morlais Lodge N.U.M. protest
most vigorously to the proposed drowning of the
Tryweryn Valley, by the Liverpool Corporation.

ON BEHALF OF MORLAIS LODGE.

(Sgd) D.E. LEWIS.

(Lodge Secretary)

37c

207 Hopetoun Ave
Vauclus e
Sydney N S W?
Australia.

Yr Ysgrifennydd,   23/Aug/56.

Dear Sir,

Welshmen all over the World view with
disgust the servile attitude of Wales today to the
spoilation of Welsh economy as well as the wanton
destruction of its scenic beauties by schemes
such as the proposed inundation of Cwm Tryweryn.

I earnestly suggest you stop talking
and do what Ireland did. When you start, let me
know, and I will be right over. In this country
(Australia) the Englishman is regarded as a clown.
Why then give him the deference and status of an
all-conquering being, and approach him as members
of a subject race instead of booting him out,
and gaining the dignity of nationhood?

Pryd mae Cymru yn mynd i ddeffro? I hunan-barch
ac i'r ysbryd yna o genedlgrwydd, a chymeryd ei lle
fel Cenedl gyfan yn mysg Cenedloedd y byd.
Peidiwch a bod fel ryw bibbi-downs diawl, yn farwaidd
a di-ysbryd.

I have been out here 37 years, and I am as intensly
Welsh in speech and spirit now as the day I left.

Again I say to you; " Stop asking and begging them
for your inalienable rights, but start doing something.
When you do that, I, and hundreds of other Welshmen,
will come home and do our bit?"

Bob llwyddiant i'ch ymdrechion,

yr eiddoch yn gywir,
Dick Williams
O'Stiniog

38a

12. **NOTICE OF MOTION**, Councillor Iestyn Thomas moved the following Notice of Motion:-

" That the Bala Urban District Council oppose the Liverpool Corporation's proposed scheme at Capel Celyn on the grounds that—

The extraction of water from the Catchment Area which is in the vicinity of the Bala U.D.C.'s own water supply at Arenig Lake may have a detrimental effect on this supply, and also the failure of the Liverpool Corporation to give an assurance that our supply will not be distrubed."

The motion was lost.

FOR: - 3   AGAINST: - 7

38.a/b. Er bod y rhelyw o bobl yn erbyn y boddi cafwyd cefnogaeth i gynlluniau Lerpwl. Yn rhyfeddol un Cyngor a roddodd sêl ei fendith oedd Cyngor Tref Y Bala. Pan geisiodd un aelod roi cynnig o flaen y Cyngor mewn cyfarfod ar Hydref 5, 1956, y dylid gwrthwynebu Lerpwl ar y sail y gallai'r cynllun amharu ar gyflenwad dŵr Y Bala o lyn Arenig, gwrthodwyd ef. Bu dadlau ffyrnig yn y wasg am agwedd y Cyngor, ac er i aelodau unigol wrthwynebu Lerpwl, ni newidiodd y Cyngor ei safiad gwreiddiol.

If cultural grounds are one of the objections, then ignore it completely because Welsh culture is mythological. I have lived for ten years in the most Welsh part of Wales, I have heard much about this Welsh culture but no one has ever seen it.

The Welsh Language cannot earn anyone a crust of bread. It is purely a domestic language taught for sentimental reasons. The commerce of the country is not done in the language, no business house uses it, there is no system of shorthand adapted to the language. The language does not possess words and terms for the Arts or Medicine, etc. It has never possessed either literature or author of international fame neither does it possess a daily newspaper, yet 28% of the people here speak Welsh alone. They can neither read a morning newspaper nor understand a radio programme. In my opinion this is criminal.

Rhan o lythyr rhyfeddol gan un S. Barnes o blaid Lerpwl

38b

Y Seren

SADWRN, HYDREF 13, 1956

Cyngor y Bala yn Peidio Gwrthwynebu Cynllun Lerpwl

Mewn cyfarfod o Gyngor y Bala, nos Wener, dan lywyddiaeth y Cyngh. E. J. Jones, Y.H., gwrthodwyd pasio penderfyniad i wrthwynebu Cynllun Corfforaeth Lerpwl yng Nghwm Tryweryn.

 Duepwyd y mater ymlaen gan y Cyngh. Iestyn Thomas, yr hwn a gynigiodd bod y Cyngor yn gwrthwynebu Cynllun Corfforaeth Lerpwl yng Nghelyn oherwydd yr ofnai y byddai tynnu dŵr o'r 'Catchment Area' yn berygl o effeithio'n niweidiol ar gyflenwad y Cyngor yno, ac oherwydd methiant Corfforaeth Lerpwl i roddi sicrwydd nad aflonyddid ar y gronfa yn Llyn Arenig. Cyfeiriodd at dri cham a gymerodd y Cyngor eisoes i ddiogelu'r gronfa, i'w chadw'n lân, ac i sicrhau bod darpariaeth yn cael ei wneud yn y Mesur Seneddol na wnai'r Cynllun ymyrryd ar y cyflenwad hwn. Yr oedd yn amlwg, meddai'r cynigydd, bod gan y Cyngor eisiau diogelu ei gyflenwad dŵr; ond er waith y rhoddir y Cynllun ar droed ni

all yr un Mesur Seneddol atal ymyrraeth o'r oherwydd. "Rhoddodd Corfforaeth Lerpwl sicrwydd," meddai'r Cyngh. Thomas, "ynghylch uchter y ffosydd a dorrir, ond gallai y ffosydd hyn gael effaith mor niweidiol ar y cyflenwad fel na allai y bibell fwyaf wneud yn iawn y golled." Cyfeiriodd at gynigiad Corfforaeth Lerpwl y gosodent bibell o'r Llyn at gronfa'r Cyngor. "Ond," meddai, "cyn y gellid defnyddio'r dŵr hwn gan drigolion y Bala byddai'n rhaid ei buro, ac i hynny byddai *plant* arbennig a drud yn angenrheidiol, a byddai y gôst o gynnal y *plant* hefyd yn uchel." Gofynnodd: "A phwy fydd raid dalu am hyn? Ni welaf Lerpwl yn gwneud!" Dylasai y cynigiad hwn, meddai'r Cyngh. W. T. Bason, wrth wrthwynebu, fod wedi dod ymlaen fel gwelliant i'r cynigiad a wnaed ynglŷn â'r Mesur Seneddol tis yn ôl. Credai'r Cynghor. Bason y byddai darpariaeth yn y Mesur yn diogelu'r cyflenwad i'r dref, a byddai gwrthwynebu'r Cynllun yn awr yn gwanhau ein hachos yno. Dywedodd y Cyngh. H. R. Davies y gellid priodi'r ddau, a thrwy hynny wneud safiad y Cyngor yn gryfach. Wrth gau'r ddadl, dywedodd y Cyngh. Thomas mai un o'r rhesymau gorau dros wrthwynebu'r Cynllun ydoedd llythyr Corfforaeth Lerpwl, ymha un y methasant a rhoddi sicrwydd nad aflonyddid ar y dŵr. Dywedodd y dylai aelodau'r Cyngor a gefnogodd y tri phwynt y cyfeiriodd atynt ar y dechrau, ac sydd a dyfodol cyflenwad dŵr y Bala yn agos i'w calonnau, hefyd, gefnogi'r cynigiad a oedd gerbron. Ond pleidleisiwyd yn erbyn y cynnig.

39. Goronwy Roberts, Aelod Seneddol Sir Gaernarfon, a T. W. Jones, yr Aelod Seneddol lleol, yn cyfarfod â thrigolion Capel Celyn. Er iddynt ddadlau yn gryf yn y Senedd yn erbyn y cynllun, ofer fu eu hymgais i'w atal.

40

PWYLLGOR AMDDIFFYN CAPEL CELYN,
Ysgrifennydd -Miss E. M. Watkin Jones,
"Celyn"
Bala.

2nd July, 1956.

T. Alker, Esq., LL.M.,
Town Clerk,
Municipal Buildings,
Liverpool. 2.

Dear Sir,

I placed your letter of the 24th instant before my Committee on June 30th and we notice that the suggestion that your Council would consider making a departure from their usual procedure on account of the exceptional gravity of the matter was considered by the Water Committee.

My Committee feels strongly that no useful purpose would be served by meeting your Council's Water Committee, though it is still prepared to arrange a meeting with your Council itself as the Authority responsible for the City's collective actions.

The main object of sending a deputation representative of Wales is to ensure that your City Council, and through it the people of Liverpool, are aware of the grounds of the Welsh Opposition to the proposed drowning of Cwm Tryweryn, We have no desire to discuss the matter, which for us admits of no compromise, with a Committee of your Council.

We feel that your Council, having put us to great trouble and expense to defend this part of our Country, its culture and resources, should have the good grace to receive a deputation, however important deliberations on local matters may be, and even if, as you state, it has not received a deputation for some time.

This second refusal suggests to us that your Council does not view the effects of its project in Merioneth as seriously as the people of Wales do. We are sure that no English municipality would have dared to ride roughshod in this way over Irish interests and sentiment.

Yours faithfully,
(signed) Elizabeth M. Watkin Jones.
Secretary.

40. Llythyr yn ymwneud â dadl y Pwyllgor Amddiffyn i gael yr hawl i annerch Cyngor Lerpwl ac nid y Pwyllgor Dŵr. Arweiniodd gwrthwynebiad Lerpwl at ymgais aflwyddiannus gyntaf Gwynfor Evans i annerch y Cyngor.

41

41. Y ddirprwyaeth a geisiodd annerch y Cyngor. Y Parch R. Tudur Jones, Pennaeth Coleg Bala-Bangor; Gwynfor Evans a Dafydd Roberts. Tachwedd 7, 1956.

Because the Liverpool City Council had refused to receive a deputation from Wales, Mr David Roberts, Caefadog, Dr Tudur Jones, Principal of Bala-Bangor College, and I decided to try to make our voice heard in the council. Through the kindness of Councillor Lawrence Murphy, an Irishman with nationalist leanings who was a friend of Dr Dafydd Alun Jones, we obtained a copy of the agenda to note when the Tryweryn issue would rise. We sat in the front row of public seats behind the back row of councillors. Immediately in front of me was the solid figure of Mrs Bessie Braddock. When the Tryweryn matter was reached I got up and addressed the chair. No sooner had I started to speak that Mrs Braddock shouted at the top of her voice and banged the lid of her desk up and down. Most other councillors seemed to

42

follow her lead as I continued to try to speak. My voice and that of the chairman were lost in the uproar which continued until the police were called in to take us out.

Dr Gwynfor Evans, *Fighting for Wales*

42. *Y Cymro*, Tachwedd 22, 1956.

43

43. Gyda methiant y ddirprwyaeth i annerch y Cyngor, penderfynwyd y dylai trigolion Celyn fynd i Lerpwl i wrthdystio yn erbyn y cynllun.

Ar eu ffordd i ddal y bws i Lerpwl, Emyr Rowlands, Mrs Jini Rowlands ac Eira Rowlands, Y Gelli, gyda Mrs Ellen Roberts a Dafydd Roberts, Caefadog.

44. Trigolion Celyn ger mynedfa Tŷ Isaf cyn cychwyn ar y daith i Lerpwl, Tachwedd 21, 1956.

Rhes uchaf [chwith i'r dde]: John Abel Jones, Hafodwen; Nel Jones, Tŷ Uchaf, Ty'n y Bont; Morris Roberts, Craig yr Onwydd; Dafydd Roberts, Moelfryn; John Anthony Jones, Rhyd y Fen, Arenig; John Jones, Tŷ Uchaf, Ty'n y Bont; Emrys Lloyd Jones, Tŷ Nant; Catrin Jones, Tŷ Uchaf, Ty'n y Bont; Rhiannon Jones, Boch y Rhaeadr; Cadwaladr Jones, Gwerngenau; Cadwaladr Edwards, Penbryn Mawr; Mona Jones, Y Plas, Arenig; Mrs Roberts, Dôl Hir, Fron-goch; Hannah Owen, Y Filltir Gerrig, Arenig; Dafydd Roberts, Caefadog.

Rhes ganol: Gwynlliw Jones, Craignant; James Edwards, Penbryn Mawr; Hywel Wyn Jones, Tŷ Uchaf, Ty'n y Bont; Tomos Jones, Hafodwen; Myfanwy Jones, Tŷ Nant; Jini Jones, Ty'n y Bont; Mair Jones, Tŷ Nant; Lina Jones, Boch y Rhaeadr; Elizabeth Jones, Boch y Rhaeadr.

Rhes isaf: Emrys Rowlands, Y Gelli; Elwyn Edwards, Station View, Fron-goch; Gareth Lloyd Jones, Tŷ Nant; Robert Wyn Jones, Tŷ Nant; Gwenan Jones, Tŷ Nant; Jane Roberts, Craig yr Onwydd; Hafina Jones, Boch y Rhaeadr; Audrey Jones, Craignant; Harriet Parri, Y Llythyrdy; Magi Parri, Glan Celyn; Nel Roberts, Caefadog; Jini Rowlands, Y Gelli; Dorothy Roberts, Craig yr Onwydd; Oswald Brotherton, Bethesda [dreifar bws]; Cri Ellis, Ysbyty Ifan [dreifar bws].

Rhes flaen: Arthur Morris Roberts, Craig yr Onwydd; John Elis Jones, Tŷ Nant; Edward Jones, Garnedd Lwyd; Eurgain Prysor Jones, Ty'n y Bont; Aeron Prysor Jones, Ty'n y Bont; Delyth Jones, Tŷ Nant; Eira Rowlands, Y Gelli; Bethan Parri, Y Llythyrdy.

45. Mwynhau paned ar y bws yn Lerpwl cyn dechrau gorymdeithio.

[Chwith i'r dde]: Idris Williams, Fedwlwyd; Myfanwy Williams, Brynmelyn; Emrys Davies, Fron-goch; Simon Williams, Brynmelyn; Dafydd Roberts, Moelfryn; Cri Ellis [dreifar y bws], Ysbyty Ifan; Bertie Jones, Y Filltir Gerrig.

46. Yr orymdaith ar gychwyn. Gwnaed y posteri gan Ifor Owen.

[Chwith i'r dde]: Y Parch. Gerallt Jones; Cadwaladr Edwards, Penbryn Mawr; John Abel Jones, Hafodwen; Bethan Parry, Y Post; Gerallt Jones, Tŷ Nant; Edward Jones, Y Garnedd Lwyd; Elwyn Edwards; Eurgain Prysor Jones, Ty'n y Bont; Eira Rowlands, Y Gelli; Delyth Jones, Tŷ Nant; Aeron Prysor Jones, Ty'n y Bont; Emrys Rowlands, Y Gelli; Robin Wyn Jones, Tŷ Nant; C. O. Jones,

Gwerngenau; Gwynlliw Jones, Craignant; Ellen Roberts, Caefadog; Dafydd Roberts, Caefadog.

Gofynnwyd am gau'r ysgol, er mwyn i'r plant gael mynd i Lerpwl, ac awgrymwyd bod yr athrawes yn mynd gyda'r plant, i'w cadw gyda'i gilydd, ac i wneud y daith yn un addysgiadol. Cydsyniodd y rheolwyr â'r awgrym gyda brwdfrydedd.

Cofnodion Rheolwyr Ysgol Capel Celyn, Tachwedd 16, 1956

47a

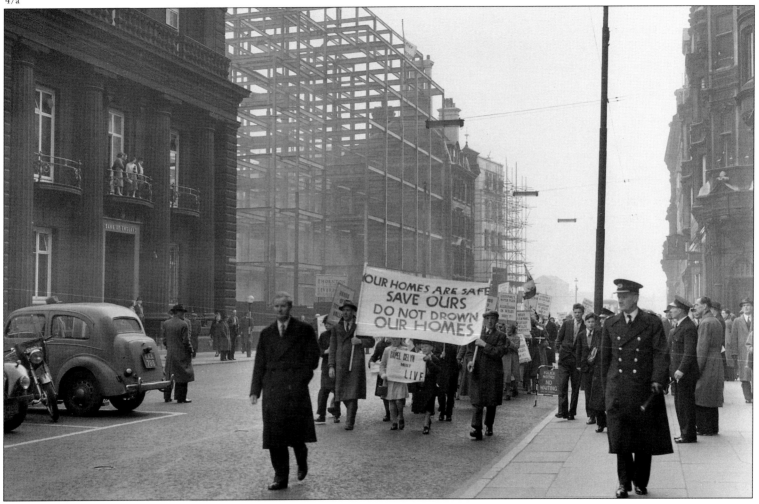

Cawsom ein hebrwng drwy'r ddinas gan yr heddlu a'r hyn sydd wedi glynu yn y cof yw bod rhai o hen wragedd mantach y lle ... yn gweiddi ac yn poeri arnom, rhai eraill yn ein diawlio'n ddidrugaredd ac yn ein galw'n bob enw.

Elwyn Edwards

47. a/b. Gorymdeithio yn Lerpwl. Ar y blaen Gwynfor Evans gyda John Abel Jones, Hafodwen, a C. O. Jones, Gwerngenau, yn cario'r faner.

Tryweryn yn Lerpwl

Gwich y breciau ar heol damp
A'r fintai fach o hyd ar dramp.

Y Ddraig ar flaen yr orymdaith brudd
A staen o waed ar fron y dydd.

Gorymdaith feiddgar heb fiwsig band
Yn cario'r pridd at y siambr grand.

Cawod o ganu mewn niwlog nef
A Phantycelyn wrth siambr y dref.

Ond ni ddeallai wynebau hir
Y doeth gynghorwyr ddoethineb y tir.

Doethineb y gweunydd sy'n llawer hŷn
Na'r brau wareiddiad a gododd dyn.

William Jones (Nebo)

47b

48. Ar ôl y brotest cyfle i weld ychydig ar y ddinas. [Chwith i'r dde]: Arthur Morris Roberts, Craig yr Onwy; Gareth Jones, Tŷ Nant; Emrys Jones, Tŷ Nant; Hywel Wyn Jones, Tŷ Uchaf, Ciltalgarth; Tom Jones, Boch y Rhaeadr; Morris Jones, Craig yr Onwy; Robert Rowlands, Red Lion, Y Bala; Thomas Jones, Hafodwen; John Anthony Jones, Rhyd y Fen; Dafydd Roberts, Moelfryn.

49. Defnyddiwyd y teledu, cyfrwng newydd ar y pryd, i ledaenu'r gwrthwynebiad gyda gwahoddiad gan deledu Granada ym Manceinion i drigolion Celyn gymryd rhan yn y rhaglen *Under Fire*, Tachwedd 29, 1956.

Yn y Senedd

Cyn y gallai Lerpwl gyflwyno eu Mesur yn y senedd roedd yn
ofynnol iddynt gael cefnogaeth trethdalwyr y ddinas. Yn Neuadd
St. George ar Ragfyr 17, 1956, galwyd cyfarfod cyhoeddus i drafod
y mater. Cythruddwyd y Cymry hynny yn y gynulleidfa gan
ymosodiadau gwrth-Gymreig yr Henadur John Braddock,
arweinydd y grŵp Llafur ar y Cyngor. Ymhellach cyhuddwyd y
Cyngor o lenwi'r cyfarfod â gweithwyr y Cyngor ei hun er mwyn
gwneud yn siŵr fod mwyafrif o blaid y gwaith. Pan alwyd y
bleidlais pleidleisiodd 262 o blaid a 161 yn erbyn.

Daeth mesur Lerpwl o flaen y senedd am ei ailddarlleniad ar
Orffennaf 3, 1957. Cyn hynny roedd Pwyllgor Dethol yn Nhŷ'r
Arglwyddi wedi bod yn derbyn tystiolaeth o blaid ac yn erbyn y
boddi ac wedi dod i'r canlyniad y dylai'r mesur fynd yn ei flaen.

Yn ystod yr ail ddarlleniad roedd holl aelodau Cymru, ar wahân
i un, yn unfarn yn eu gwrthwynebiad i'r mesur, er i rai fel Irene
White, A.S. Sir y Fflint, ddadlau nid yn gymaint yn erbyn cynnwys
y mesur ond yn hytrach yn erbyn methiant y llywodraeth i ddelio
gyda'r cwestiwn o gyflenwi dŵr ar raddfa genedlaethol. Pan
safodd Henry Brooke, y Gweinidog dros Faterion Cymreig, ar ei
draed i annerch y Tŷ siomwyd llawer o'i weld yn ochri gyda
Chorfforaeth Lerpwl.

Yn dilyn yr ail ddarlleniad, cafwyd ymchwiliad pellach gan
Bwyllgor Dethol y Tŷ Cyffredin, ond fel o'r blaen yr un oedd yr
ymateb, sef cario'r mesur ymlaen am ei drydydd darlleniad. Ar
Orffennaf 31, 1957, pleidleisiodd 175 o blaid a 79 yn erbyn –
mwyafrif o 96. Roedd y daith seneddol ar ben.

50. Yr Henadur John Braddock, cefnogwr brwd i'r cynllun. Ei wraig
Bessie oedd yr Aelod Seneddol Llafur dros ward Liverpool
Exchange.

*If it is decided that in the interest of a large number of people the
rights of a very small number of people are affected, then, subject
to proper safeguards ... the right of the majority must prevail.*

Syr Victor Raikes, A.S. Ceidwadol, Garston, Lerpwl

51. Trethdalwyr Lerpwl yn pleidleisio ar ddyfodol Capel Celyn.

We have seen these Welsh people, who because of the failure of their own country to provide a livelihood for them, have left their own land almost depopulated.

Yr Henadur John Braddock, Neuadd St. George, Rhagfyr 17, 1956

52

52. *Some disturbance of the inhabitants is, of course, inevitable. Everyone deplores the fact that in the interest of progress sometimes some people must suffer, but that is progress.*

Bessie Braddock A.S. yn ystod ail ddarlleniad
Mesur Corfforaeth Lerpwl, Gorffennaf 3, 1957

53

53. *It will therefore be seen that the true reason for the Tryweryn scheme is not that the water is required to quench the thirst of the people of Liverpool ... It is wanted by Liverpool for industry, and for resale to industry.*

T. W. Jones, yr Aelod Seneddol lleol, yn ystod ail ddarlleniad y mesur

54a

> **The Minister of Housing and Local Government and Minister for Welsh Affairs (Mr. Henry Brooke):**
> Members who had voted for the Bill's rejection would saddle themselves with a very grave responsibility for water shortages which might occur in the next few years on Merseyside and in south-west Lancashire. I cannot believe that preservation of the Welsh way of life requires us to go as far as that. I cannot believe that the Welsh people of all people want to stand outside the brotherhood of man to that extent.

54b

54a/b. Y Gwir Anrhydeddus Henry Brooke A.S.. Cymaint oedd y drwgdeimlad yn ei erbyn oherwydd ei safiad ar Dryweryn fel y tynnwyd yn ôl wahoddiad iddo fynychu'r Eisteddfod Genedlaethol a oedd i'w chynnal yn Llangefni ym 1957.

55a

Her Majesty Queen Elizabeth II

May it please your Majesty

We, the people of Capel Celyn in Cwm Tryweryn in the County of Merioneth, are taking this bold step of appealing to your Majesty, our Queen, personally because our homes are in great danger. Most of us have lived here quietly all our lives and our families for generations before us, and we have followed the good customs of our fathers on the land and in our social life. But the Liverpool Corporation has obtained parliamentary approval for its plan to drown our valley and to remove us from our homes. ¶ We cannot bring ourselves to accept this fate and we now humbly venture to appeal to your Majesty to use your great influence on our behalf to save our homes. We also remember with pleasure that His Royal Highness the Duke of Edinburgh is Earl of Merioneth. ¶ If your Majesty would kindly use your good offices to persuade Liverpool Corporation not to use the power it has obtained, our gratitude will always follow you.

55b

MINISTER FOR WELSH AFFAIRS
WHITEHALL, S.W.1

16th December, 1957.

Dear Miss Jones,

    The petition which accompanied your letter of 24th September has been referred by the Queen to the Minister of Housing and Local Government and Minister for Welsh Affairs who, at Her Majesty's Command, has given it careful consideration.

    The Minister fully understands the feelings of the petitioners whose homes and lands will suffer as a result of the proposals of the Liverpool Corporation, but he feels nevertheless that he cannot, in all the circumstances, advise the Queen to persuade the City Council not to use the powers recently granted by Act of Parliament.

    Yours sincerely,

Private Secretary.

Miss E. M. W. Jones.

55. a/b. Yn dilyn y daith Seneddol, gwnaed apêl i'r Frenhines, ond bu'n fethiant.

Yr ydym wedi colli pob gobaith. Yr ydym wedi gwneud y cyfan sydd yn ein gallu i ddiogelu'r Cwm yma – y mae popeth yn awr yn dibynnu ar ffawd.

Harriet Parry, Y Llythyrdy, Capel Celyn

Y Chwalu

Gyda phenderfyniad y Senedd o'i phlaid, dechreuodd Lerpwl ar y gwaith yng Nghwm Celyn. Y cynllun oedd clirio popeth o'r cwm. Golygai hyn ddymchwel pob adeilad a chlirio pob coeden a chlawdd. Erbyn adeg y boddi ei hun roedd y cwm fel petai wedi ei sgwrio yn lân – 'doedd dim ar ôl yn sefyll. Rheswm Lerpwl dros dorri'r coed i gyd oedd yr ofn y byddent, wrth bydru, yn tagu'r llifddorau yn y tŵr.

Y peth cyntaf i ddiflannu oedd y rheilffordd. Gan y byddai rhan o'r rheilffordd a redai drwy Gwm Tryweryn yn cael ei boddi pan adeiledid yr argae, roedd Mesur 1957 yn awdurdodi Lerpwl i wyro'r rheilffordd am dair milltir a hanner. Nid adeiladwyd y gwyriad yma gan i'r Comisiwn Trafnidiaeth Brydeinig benderfynu cau'r lein. Yn sgîl hyn cytunodd Lerpwl i gyfrannu tuag at gost y ffordd newydd yng Nghwm Prysor a Chwm Tryweryn ynghyd â'r gost o adeiladu llinell gysylltu rhwng dwy orsaf ym Mlaenau Ffestiniog a thrwy hynny alluogi trenau o Gyffordd Llandudno i gyrraedd yr orsaf bŵer arfaethedig yn Nhrawsfynydd. Y gost am y llinell gysylltu i Lerpwl fyddai £18,000.

Bu raid i'r ffermwyr werthu eu stoc a'u heiddo. Digwyddodd hyn hefyd i ffermwyr a gâi gadw eu tai ond a fyddai yn colli tir, er enghraifft, Gwerngenau. I'r rhai a oedd yn colli eu cartrefi roedd yr ergyd yn ddwbl. Caewyd yr ysgol ar Orffennaf 28, 1963, gyda'r Capel yn cael ei ddatgorffori ar Fedi 28, ac yn unol â'r cynlluniau, dymchwelwyd y ddau adeilad. Datgladdwyd rhai o'r cyrff yn y fynwent cyn gorchuddio'r gweddill â choncrit. Yn ystod blynyddoedd cyntaf y chwedegau symudodd teulu ar ôl teulu allan o'r cwm – gwasgarwyd cymuned glòs i'r pedwar gwynt.

Cawn ein talu'n dda – ond 'wyddom ni ddim beth yw gwerth yr hyn a gollwn.

Cadwaladr Edwards, Penbryn Mawr

56. Agorwyd y rheilffordd o'r Bala i'r Blaenau ym 1882 yn bennaf i gario llechi o'r Blaenau i ganolbarth Lloegr. Ni ellir dweud iddi erioed fod yn llwyddiant masnachol, ac oherwydd nifer bychan y boblogaeth a wasanaethwyd, ni wnaed llawer o arian drwy gario teithwyr.

56

Rhai o drigolion Arenig, Cwm Tryweryn a Thrawsfynydd yng ngorsaf Y Bala. Hydref 1958.

[Chwith i'r dde]: Alun Jones, Bryn Ifan; Ann Clayton, Traian; Gwenan Hughes, Garth Isaf; Hafina Jones, Boch y Rhaeadr; Mrs Mabel Jones, Bryn Ifan; Eurwen Roberts, Glan Hesgin; Bryn Jones, Isallt, Arenig; Dorothy Jones, Bryn Ifan; Gwladys Williams, Bryncelynog, Cwm Prysor; Eirlys Jones, Bron Asgellog, Trawsfynydd; Valerie Haley, Stryd Tyllwyd, Trawsfynydd; Ann Lorraine Jones, Maes Gwyndy; John Jones, Rhydlechog.

57. Arhosfan Pont Tyddyn, yn edrych i gyfeiriad Y Bala. Fe orchuddiwyd y safle hwn gan yr argae.

58. Arhosfan Capel Celyn. Gan i drigolion y cwm fethu cytuno ar safle'r arhosfan, adeiladodd y cwmni rheilffordd ddau, un ym mhen uchaf y cwm a'r llan yn y pen isaf.

59. Ar Ionawr 2, 1960, fe redodd y trên teithwyr rheolaidd olaf rhwng Y Bala a Blaenau Ffestiniog. Ymhen blwyddyn ar Ionawr 22, 1961, rhedodd trên arbennig o dan nawdd y 'Stephenson Locomotive Society'. Pum niwrnod wedyn ar Ionawr 27, 1961, cyrhaeddodd y trên nwyddau olaf Y Bala o'r Blaenau a chaewyd y lein yn gyfan gwbl.

60. Gorsaf Arenig ym mis Chwefror, 1962, ychydig amser ar ôl i'r cledrau gael eu codi. Defnyddiwyd rhan o'r hen drac yn y cwm fel ffordd, i gario'r graean o'r pyllau at safle'r argae.

61a

'Rydym ni'n byw ar y terfyn, ac wrth ei chlywed hi'n dawel fel y bedd tua Gwerngenau y bore 'ma – dim sŵn hel gwartheg fel arfer, yr oeddwn i bron â chrio.

Elizabeth Jones, Boch y Rhaeadr

61b

61. a/b. Arwerthiant stoc ac eiddo, Gwerngenau, Hydref 1958.

62. Gwerthu'r llechi, Gwerngenau, Hydref 1958.

[Chwith i'r dde]: C. O. Jones, Gwerngenau; Ivor Evans (Arwerthwr), Hafod y Coed, Y Bala; Meirion Ellis, Ucheldre, Corwen; Cadwaladr Roberts, Hendre Mawr, Fron-goch; Cadwaladr Edwards, Penbryn Mawr; Dafydd Jones, Tŷ Uchaf, Ty'n y Bont; Dafydd Roberts, Caefadog; William Evans, Cyffty, Parc; T. J. Roberts [Twm Jim] Bryn Bannon, Llanfor; Emrys Davies, Y Fedw Arian Uchaf, Rhyduchaf; Thomas Evans, Cyffty, Parc; Ifan Edwards, Glanddwynant, Llandderfel; Berwyn Williams, Rafael, Parc.

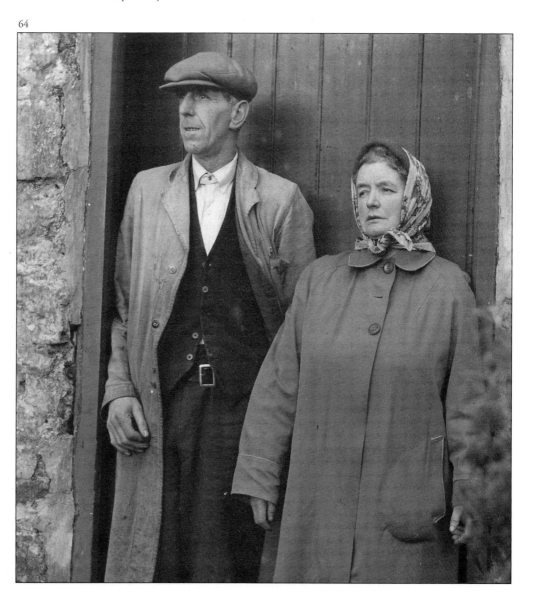

64

63. Cymdogion yn rhoi cymorth i symud dodrefn Garnedd Lwyd.

[Chwith i'r dde]: Mrs Mabel Morgans, Plas Teg, Y Bala; John Evans, Garnedd Lwyd; Dafydd Roberts, Caefadog; Dafydd Jones, Tŷ Uchaf; Dafydd Jones, Tynybont, Frongoch; John Jones, Tŷ Uchaf, Tynybont. Y bachgen – Les Hughes, Plas Teg.

64. John a Mabel Evans, ddiwrnod yr ymadael â Garnedd Lwyd am y tro olaf, Ionawr 1962.

66

67

68

65. Golygfa o'r cwm uwchben Hafod Fadog oddeutu Gwanwyn 1962 cyn i'r gwaith clirio ddechrau.

66. Yr un olygfa yn nechrau 1964. Mae Hafod Fadog yn adfail gyda phob coedyn a chlawdd ar lawr y dyffryn wedi eu clirio ymaith.

67. Dymchwel Caefadog oddeutu Hydref 1964. Mae'r llifddorau wedi eu cau a'r llyn yn prysur lenwi.

68. Safle Caefadog, Gaeaf 1964.

69

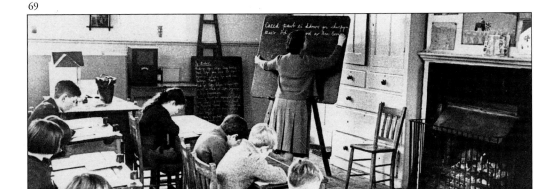

70

69. *Dyma fy mhrofiad cyntaf i o fudo mewn ysgol, a 'does arnaf ddim eisiau'r profiad eto. Mae'n beth trist ac yn ganmil tristach yma gan y tynnir yr adeilad i'r llawr wedi i ni ymadael.*

Martha Jane Roberts, yr athrawes olaf

70. Llyfr Log yr ysgol am Fai 2, 1963, yn nodi'r penderfyniad i gau'r ysgol ar ddiwedd y tymor.

71

'CACEN TRYWERYN'

Daeth ton o ddistawrydd dros y gynulleidfa, pan hysbysodd y llywydd fod cacen wedi ei derbyn, i'w rhannu i'r plant, gan aelodau ieuanc Plaid Cymru ym Mhwllheli, ac wedi ei weithio arni 'I blant Tryweryn.' Ar y cerdyn i'w chanlyn roedd y geiriau: 'Ar ran John, Owain ac Emyr i Blant Tryweryn.' (enwau'r tri a barodd ddifrod yn Nhryweryn.

71. Y cyfarfod olaf yn yr Ysgol, Gorffennaf 25, 1963.

[Chwith i'r dde]:

Rhes ôl: Hefina Jones (Cogyddes); Dafydd Roberts (Rheolwr); C. M. Jones, Y Bala; M. J. Roberts (Athrawes); John Evans (Rheolwr); J. Anthony Jones (Rheolwr); John Abel Jones (Rheolwr).

Trydedd res: Glenys Evans (Gofalydd) ac Ann; Eira Rowlands; Bethan J. Parry; Delyth Jones; John Ellis Jones; Geraint Jones; Elwyn Rowlands; Aeron Prysor Jones; Ann E. Jones.

Ail res: Watkin Jones (Rheolwr); Megan Rowlands; Morfudd Jones; Eurgain Prysor Jones; Geraint Jones; Arfon Jones, Tryweryn Evans; Jane Jones; Rhian Jones.

Rhes flaen: Lowri Mair Jones; Elfyn Jones; Ruth Jones; John Francis Evans; Deiniol Prysor Jones; Rhodri W. Jones; Dilys M. Jones; Griffith Hughes (un o ddisgyblion cyntaf yr ysgol).

72. *Y Cyfnod*, Awst 2, 1963.

73

Adeg boddi'r cwm roedd y plant yn ofnus dros ben gan gredu y byddai'r dŵr yn dod yn sydyn ac yn boddi pawb.

73. Y disgyblion olaf yn yr ysgol gyda'u hathrawes Mrs Martha Jane Roberts.

Rhes ôl: Elwyn Rowlands, Gelli; Ann E. Jones, Tŷ Nant; Eurgain Prysor Jones, Tynybont; Geraint Jones, Tŷ Nant; Arfon Jones, Tŷ Nant; Aeron Prysor Jones, Tynybont.

Rhes flaen: Lowri Mair Jones, Rhydyfen; Jane W. Jones, Craignant; Rhodri Jones, Craignant; Dilys Jones, Rhydyfen; Rhian Jones, Tŷ Nant; Tryweryn Evans, Glan Celyn; Deiniol Prysor Jones, Tynybont; John Evans, Glan Celyn.

74. Yr ysgol yn adfail.

Mae pawb wedi chwalu ar ôl i'r llyn ddod, mae Elwyn wedi symud i lawr i Fron-goch ac mae Geraint yn rhy bell i fynd i chwarae ar fin nos ac felly mi rydwi'n gorfod chwarae ar fy mhen fy hun.

Aeron Prysor Jones,
un o'r disgyblion olaf yn yr ysgol

Ysgol Celyn

Waliau'r ysgol ar wasgar – a lawntiau
Heb sŵn plant chwerthingar;
'Roedd yno ryw hedd anwar,
Trigai ofn yn y tir gwâr.

Elwyn Edwards

74

76

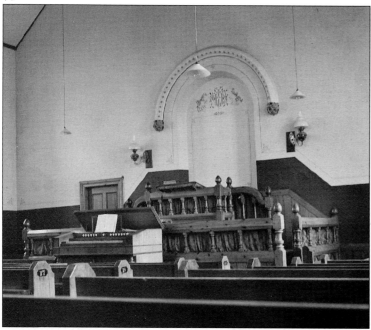

77

HENADURIAETH DWYRAIN MEIRIONNYDD

Eglwys Celyn

Gwasanaeth Datgorffori

MEDI 28, 1963 am 2-30 o'r gloch

Llywydd

Syr DAVID HUGHES PARRY,

Llanuwchllyn

(Llywydd Cymdeithasfa'r Gogledd)

—————————

CRYNODEB O HANES YR EGLWYS

gan

DAVID ROBERTS

75. Diwrnod y gwasanaeth olaf yn y Capel, dydd Sadwrn, Medi 28, 1963. Yn y cefndir gwelir y pyllau graean.

76. Oddi mewn i'r Capel.

77. Taflen y Gwasanaeth Datgorffori.

Fy ngorchwyl anhyfryd yw cyhoeddi mai dyma'r gwasanaeth olaf a gynhelir yn yr adeilad hwn, a fu am dros ganrif a hanner yn gysegr i'r Duw Goruchaf. Cyhoeddaf fod yr Eglwys yng Nghapel Celyn ar y funud bruddaidd hon yn cael ei datgorffori.

Syr David Hughes Parry, Llywydd Cymdeithasfa'r Gogledd

78. Rhan o'r gynulleidfa yn y gwasanaeth olaf.

79. Y weithred olaf yn y Gwasanaeth Datgorffori oedd i'r llywydd, Syr David Hughes Parry, fynd â'r Beibl allan o'r Capel.

Syr David Hughes Parry, Llywydd Cymdeithasfa'r Gogledd; y Parch. Evan Lynch, Carrog; y Parch. G. R. Jones, Llandderfel.

Cymerwyd rhan hefyd gan y Parch. Seth Pritchard, Gwyddelwern; y Parch. H. W. Hughes, Dinbych, a'r Parch. William Williams, Llandrillo.

80. Rhai o drigolion a chyn-drigolion yr ardal y tu allan i'r capel ar y diwrnod olaf.

[Chwith i'r dde]: Jennie Evans, Ciltalgarth; Eurwen Edwards; Edith Edwards; Jennie Rowlands; Margaret Ann Jones, Coedle, Arenig; Ellen Roberts, Caefadog; Enid Lewis Jones, Coedle; Dafydd Roberts, Caefadog; Ieuan Jones, Coedle; Henry Owen, Y Filltir Gerrig; Gwilym Thomas; John Lewis Jones, Coedle, Arenig; Cadwaladr Edwards, Penbryn Mawr; Alun Edwards, Penbryn Mawr; Elsie Jones, Coedle.

79

80

81. Yr Ysgol Sul.

[Chwith i'r dde]: Aeron Prysor Jones; John Francis Evans; Elwyn Rowlands; Megan Rowlands; Ann Francis Evans; Tryweryn Evans; Eurgain Prysor Jones; Deiniol Prysor Jones; Watcyn o Feirion.

81

82a

82c

82b

Ffarwél i Gapel Celyn

Ffarwél i deml y Celyn, – Och! alaeth,
Mae'r chwalwr yn ddychryn;
Meirw a byw, hawl Duw a dyn
Bwygilydd dan raib gelyn.

Ifan Rowlands

82. a/b/c. Chwalu'r Capel, Mehefin 1964. Defnyddiwyd llawer o'r cerrig i adeiladu'r Capel Coffa.

83

84

85

83. Y fynwent. Rhoddwyd dewis i'r teuluoedd a oedd â pherthnasau wedi eu claddu yno i adael y cyrff lle'r oeddynt neu eu datgladdu a'u claddu mewn mynwent arall. Fe ddatgladdwyd wyth corff i gyd gyda'r gweddill yn cael eu gadael. Symudwyd yr holl gerrig beddi a'u gosod yn yr Ardd Goffa.

84. Datgladdu'r cyrff, Gorffennaf 21, 1964.

85. Wedi cwblhau'r datgladdu symudwyd y cerrig beddi a gorchuddio'r fynwent â haen o raean cyn claddu'r cwbl dan goncrit.

86. Ailosod y cerrig beddi yn yr Ardd Goffa.

86

Cwm Celyn

Cam, coeliwch, troi Cwm Celyn – yn ddolur
I ddeiliaid y dyffryn,
Ond mawl Salem a'i hemyn
Nis boddir yn lli'r un llyn.

J. Eifl Hughes

87. Safle pentref Capel Celyn, Hydref 12, 1964.

87

Difrodi

Pan roddwyd sêl y Frenhines i'r Mesur ar Awst 1, 1957, teimlai llawer fod y frwydr i achub Tryweryn wedi ei cholli ac y dylid yn awr ymdrechu i gael gwell cyfleusterau i'r ardal yn sgîl yr adeiladu. Eto roedd yna bobl a gredai mewn parhau i ymladd trwy ddefnyddio dulliau llai cyfansoddiadol.

Ar Fedi 22, 1962, arestiwyd dau ŵr o Sir Fynwy, David Pritchard a David Walters, am ddifrodi transfformer trydan drwy ollwng yr olew o'r pwmp. Am y weithred hon fe'u dirwywyd £50 yr un gan Ynadon Y Bala. Yn dilyn hyn ar Ragfyr 19 ymosodwyd unwaith eto ar y safle gan achosi difrod i weithdy. Ni chyhuddwyd neb o'r weithred hon.

Er y cynnydd yn lefel y wyliadwriaeth yn dilyn yr ymosodiadau hyn, yn gynnar ar fore Sul, Chwefror 10, 1963, clywyd sŵn ffrwydrad yn y cwm. Y bore wedyn canfuwyd fod y prif drosglwyddydd i'r safle wedi ei ddifrodi yn arw gan amharu ar y gwaith. Gwnaed ymholiadau dyfal gan yr heddlu ac arestiwyd tri gŵr, Emyr Llywelyn Jones, Owain Williams a John Albert Jones. Carcharwyd Emyr Llywelyn ac Owain Williams am y weithred tra rhoddwyd John Albert Jones ar brofianaeth am dair blynedd.

Yn ystod cyfnod yr adeiladu ac wedyn roedd yna fygythiad parhaus i greu difrod ar y safle, bygythiad a gymerwyd o ddifrif gan y Gorfforaeth a'r heddlu.

88

88. Un o'r llythyrau cyntaf a dderbyniodd Corfforaeth Lerpwl yn bygwth trais os bwriadai fynd ymlaen gyda'r cynllun i foddi Tryweryn.

89

90

LIVERPOOL CORPORATION   -   TRYWERYN SCHEME.

REPORT ON DAMAGE TO 33/11KV SUB-STATION.

On the evening of Saturday 22nd September, one of the Contractor's night watchmen noticed two men behaving suspiciously and reported the matter to the Bala police, who immediately sent to site Constables Williams and Jones. The two men were apprehended by the police, and were found to be in possession of some brand-new tools which they said they had stolen; they were thereupon taken into custody, and identified as David Glyn Pritchard, a planning engineer, and David Barnard Walters, a miner, both of South Wales.

Police enquiries on Sunday morning showed to be untrue the men's story that they had stolen the tools from Messrs Simon-Carves. Shortly after midday on Sunday (doubtless assuming by then the damage would be done) they admitted to the police that their purpose on the site had been to destroy the sub-station, and that to this end they had drained the 33/11KV transformer of oil.

The police immediately informed MANWEB, who took out of service the grid line feeding the sub-station, gathered together from over a very wide area the 1350 gallons of oil needed to refill the transformer, and had completed the operation and brought the substation back into service by shortly after midnight on Monday morning. The satisfactory performance during Monday of the transformer suggests that because of its small load during Sunday morning no damage was done to the windings by the absence of the oil; I understand that MANWEB are consulting the manufacturers, Messrs Ferranti, about the possible need for check testing of the transformer. The cost of the refilling operation is assessed by MANWEB at £480.

The prisoners appeared before Bala Magistrate's court on Monday afternoon to answer the charge, brought under Section 22 of the Electric Lighting Act 1882, that they "unlawfully and maliciously did injure a certain electric work for supplying electricity, with intent to cut off the said supply of electricity". The proceedings consisted solely of evidence of arrest, and the prisoners were remanded in custody until 3rd October, an application for bail by the defence counsel, one Elystan Morgan (who is incidentally the prospective Plaid candidate for Merioneths) being disallowed by the magistrates, Mr. O. Llewelyn Jones, Alderman C.M. Jones and Mrs T.R. Jones.

The only effect of the incident on site work was to prevent Messrs Simon-Carves work for the first half of their Sunday night shift; embanking operations were not affected, as they are lit by mobile generating sets. A possible consequence of the incident may be a claim from or through the Dee and Clwyd River Board for damage to the fisheries by the oil.

In order to guard against further malicious damage, particularly vulnerable areas of the site are being patrolled at night, our records are so far as possible not being stored in one place, and the provision of fixed floodlights and guard dogs is being considered.

25.9.62

TRYWERYN

Plaid Cymru wants to make it clear—and we are sure that Dave Pritchard and Dave Walters would like to make it clear as well—that they were not acting for Plaid Cymru when they took 'direct action' in Tryweryn. In fact, they were acting in opposition to party policy.

BUT WHO ARE THE GUILTY MEN?

Although we do not agree with the action they have taken, we cannot condemn them. They have merely tried to implement the wishes of the people of Wales, who were united in their opposition to Liverpool's scheme to drown Tryweryn.

The guilty men are those people in Liverpool and in Parliament who forced this scheme through. Just look at the record:

1. No one in the valley or in Wales was consulted. The first we knew of the scheme was when we read about it in the papers.

2. *Prior to this, Liverpool had got the Welsh Authorities to help foot the bill of deepening the Dee—ostensibly to stop flooding, actually to provide a cheap pipe-line from Tryweryn to Liverpool.*

3. The people of the valley and of Wales as a whole opposed the scheme because a city of one nation has no right to commandeer part of the land of another, nor to turn people out of their homes and commandeer valuable water resources, which we need to attract industry and stop depopulation. And don't forget that Liverpool won't pay a penny piece for the water.

4. *The scheme was forced through Liverpool Council by delaying the start of a meeting while 'yes-men' were wheeled in, and it was forced through a public meeting in Liverpool by similar tactics and only when Council employees were marched into the meeting and told how to vote by the Councillors.*

5. It was steamrollered through Parliament against the united opposition of Welsh M.P.s (half-hearted opposition, it's true), and with the help of the Minister of Welsh Affairs, who had previously promised to help the people of Tryweryn.

The democratically and constitutionally expressed opposition of Wales was ignored: a valley raped, people turned out of their homes, resources stolen.

IT IS LIVERPOOL AND THE GOVERNMENT THAT SHOULD BE ON TRIAL

THE FUTURE ➡

89. Adroddiad am y difrod a wnaed gan David Glyn Pritchard a David Walters, Medi 22, 1962.

90. Ymateb Plaid Cymru i weithred David Pritchard a David Walters.

THIS WITNESS WILLIAM JONES upon his Oath says:-

I am Constable 82 of the Gwynedd Constabulary stationed at Frongoch. At 7.50 a.m. on Sunday 10th February 1963 I was called out by the witness Dr. Crann and I accompanied him to the transformer compound at the Tryweryn Site. I there met Inspector R.E. Jones. On arrival I looked at the base of the transformer itself. I saw that the bottom of the transformer had been damaged with oil leaking on to the snow-covered compound. Inside the compound I saw a set of footprints leading from the railings directly towards the transformer and returning the same way. I noticed that the footprints had been made by a person wearing pointed shoes or boots. I then accompanied Inspector R.E. Jones on a search of the area surrounding the Compound and on a search of other areas in the vicinity. During that search I saw a number of footprints. One had a distinctive pattern of a climbing boot type. The other was of a pointed shoe or boot; the other print was not very distinct. Later that day I indicated various footprints to Det. Const. Gareth Jones, the photographer. During the search a number of articles were found by Inspector R.E. Jones. On Monday 11th February 1963 I was present when the damaged transformer was removed. The work started at about 11 a.m. and it took several hours. During the course of the removal, Mr. Kenneth Griffiths, the District Engineer of the Merseyside and North Wales Electricity Board was with me. In my presence he discovered the coil, several pieces of clock mechanism from underneath the transformer. I took possession of these various articles which I now produce as Exhibit 14. I later handed these to the witness Det. Sgt. Glanmor Hughes.

Exhibit 14.

Signed: Wm. Jones. P.C.82.

Signed: O. Llewelyn Jones.

An Examining Justice.

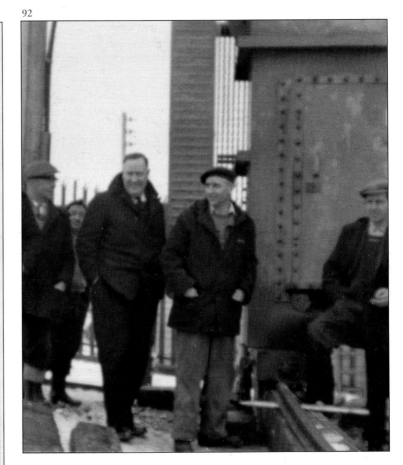

91. Tystiolaeth y Cwnstabl William Jones, Fron-goch, ynglŷn â'r difrod a wnaed pan osodwyd bom ger y prif drosglwyddydd yng Nghelyn, Chwefror 10, 1963.

92. Y Cwnstabl William Jones gyda rhai o'r gweithwyr ger y trosglwyddydd a ddifrodwyd.

93

Det. Cstabl. G Hughes :

I started to give him the caution in Welsh. I entered two particulars in my note book and I started to write the caution down and as is my custom give it to the Accused at the same time. All I put down opposite his name and address was "Mae Detective Sgt Hughes wedi ddued wrthyf" which translates is "Det Sgt Hughes has told me" and as I was writing that I said "Mr Jones ydw i eisio chwi ddeallt fo'd i'n rhoid y caution i lawr fa'ma rwan" I could see there was some hesitation on part of Accused and he said "Ydi ddim yn ofynol i mi rhoid dim wlwn ysgrifen mae gennyf fy hawlia" Det. Insp. Jones then took over and told him "Dwi'n arrestio chwi ar suspicion o fod yn concerned yn yr explosion yn Tryweryn dydd Sul 10fed o mis Chwefror. The Accused was then cautioned in Welsh by Det. Inspector Jones. At that stage Det Insp Jones said that Inspector Williams of

94

93. Rhan o dystiolaeth y Ditectif Glanmor Hughes pan arestiwyd Emyr Llywelyn Jones, myfyriwr 22 oed o Goleg y Brifysgol, Aberystwyth, Chwefror 18, 1963.

94. Emyr Llywelyn Jones.

95a

95b

95.a/b. Cefnogwyr o flaen Llys Ynadon Y Bala adeg achos traddodi Emyr Llywelyn, Mawrth 14, 1963. Ymysg y dorf roedd dau lond bws o fyfyrwyr o Aberystwyth. Yn anffodus i'r myfyrwyr 'doedd awdurdodau'r coleg ddim mor hael eu cefnogaeth. Dirwywyd y myfyrwyr o hanner can ceiniog yr un am golli darlithoedd, tra anfonwyd Gwilym Tudur, trefnydd y bwsiau, o'r Coleg tan ddiwedd y tymor. Yn yr achos gorchmynnwyd for Emyr Llywelyn i sefyll ei brawf ym Mrawdlys Caerfyrddin.

96

Tryweryn: Student keeps secret as he goes to gaol

Western Mail Reporter

AN Aberystwyth student, Emyr Llewellyn Jones, was taken to Swansea Prison last night to begin a year's sentence imposed on him yesterday at Carmarthenshire Assizes for his part in an explosion at Tryweryn Reservoir, Merioneth, on February 10.

But Jones, aged 22, son of a chaired bard, took with him the secret he has kept through weeks of court procedure — the names of his two companions at Tryweryn who may even have been present in court to hear Mr. Justice Barry pass "reluctant" sentence.

"This is the most pathetic case I have ever had to deal with," said the judge

Not since the sensational double-murder trial of Ronald Harries in 1953 have such huge crowds been seen in Guildhall Square, Carmarthen.

Squads of extra police, drafted from Llanelly, Ammanford and Aberystwyth, stood by, but there was no trouble. The centuries-old Guildhall was ringed with crush barriers. Barricades stood in Guildhall Square, Hall Street, and Nott's Square.

Because of the limited public accommodation only people possessing passes were allowed into the Crown courtroom where Jones appeared.

97

98

84

99

Tryweryn dam charge
MAN EJECTED AFTER UPROAR IN COURT

A grammar school teacher was escorted from Blaenau Ffestiniog court last night, shouting " Cymru am byth " (Wales for Ever) after police rushed to silence a demonstration which broke out in the public gallery when Emyr Llewelyn Jones, escorted by two prison warders made a fifteen second appearance for the purpose of identification.

Emyr Jones is serving a twelve-month sentence for his part in blowing up the main transformer at the Liverpool Corporation dam site at Tryweryn on February 10.

Before the court yesterday were two men alleged to be his accomplices, in the Tryweryn incident. They were Owen Williams, a twenty-nine-year-old cafe owner, of Meifod, Cardiff Road, Pwllheli, and John Albert Jones, aged 19, an unemployed ex-R.A.F. police-man, of Ty'n-y-Berllan, Penrhyndeudraeth.

They are charged that jointly with Emyr Jones, they maliciously caused an explosion of a nature likely to cause serious injury to property, at the Tryweryn dam site.

They are further charged that two days after Emyr Jones was sentenced, at Carmarthen assizes, they maliciously caused an explosion at the base of a 66,000-volt power pylon at Gellilydan, near Maentwrog, the explosion being of a nature likely to endanger life or cause injury to property.

96. Drwy gydol yr achos ym Mrawdlys Caerfyrddin gwrthododd Emyr Llywelyn enwi'r rhai a oedd gydag ef yn Nhryweryn. Ar Fawrth 29, 1963, dedfrydwyd ef i garchar am flwyddyn. Y diwrnod wedyn mewn ymateb i'r ddedfryd ceisiodd Owain Williams a John Albert Jones chwythu peilon trydan yn Y Gellilydan a thorri'r cyflenwad i Atomfa Trawsfynydd.

97. Emyr Llywelyn ar ei ffordd i'r carchar, Mawrth 29, 1963.

98. John Albert Jones ac Owain Williams, a arestiwyd yn fuan ar ôl carchariad Emyr Llywelyn, yn cyrraedd llys Blaenau Ffestiniog o garchar Amwythig ar ddiwrnod cyntaf yr achos traddodi, Ebrill 25, 1963.

99. *Daily Post*, Mai 8, 1963. Achoswyd cynnwrf yn y llys ym Mlaenau Ffestiniog gydag ymddangosiad Emyr Llywelyn. Ar Fai 7 penderfynwyd fod Owain Williams a John Albert Jones i sefyll eu prawf ym Mrawdlys Meirionnydd yn Nolgellau, a fyddai'n cael ei gynnal ar Fehefin 20, 1963.

100

100. John Albert Jones. Cafwyd ef yn euog ym Mrawdlys Meirionnydd a'i roi ar brofianaeth am dair blynedd.

101. Owain Williams. Trosglwyddwyd ei achos o Ddolgellau i Frawdlys Rhuthun. Ar Orffennaf 1, 1963, cafwyd ef yn euog a'i anfon i garchar am flwyddyn.

I mi, fe gostiodd Tryweryn yn ddrud – fe lifodd y dagrau ac fe holltwyd calonnau … bûm ar erchwyn dibyn gorffwylledd aml i dro. Rhy hawdd i mi, wrth edrych yn ôl, yw dweud: "Do fe fûm i'n blydi ffŵl … mae'n wir ddrwg gen i" … ond fe fyddwn i'n anonest â mi fy hun pe bawn i'n dweud hynny. Roedd mynd i Dryweryn yn rheidrwydd. Rhywbeth yn nwfn y galon a'n hanfonodd yno. Y rhywbeth hwnnw sy'n dweud wrthym am godi ar ein traed a sefyll fel dynion yn lle byw ar ein gliniau.

Owain Williams, *Cysgod Tryweryn*

101

Gwaith Adeiladu

Yn ôl Mesur 1957 rhoddwyd yr hawl i Lerpwl adeiladu argae ar afon Tryweryn. Byddai'r dŵr a gronnwyd gan yr argae yn llifo i lawr afon Dyfrdwy i'w dynnu allan yn Huntington ryw ddwy filltir i fyny o Gaer a 70 milltir o Dryweryn. Roedd gan Lerpwl yr hawl i dynnu 65 miliwn o alwyni y diwrnod.

Gwnaed yr arolwg gwreiddiol o'r gwaith cynllunio gan Binney a'u Partneriaid tra rhoddwyd y prif waith adeiladu yn nwylo Tarmac. Rhan gyntaf y cynllun oedd adeiladu ffordd newydd ar ochr ddwyreiniol a gogleddol y llyn. Cychwynnwyd ar y gwaith yn Nhachwedd 1959 er mwyn i'r hen ffordd gael ei chau yn weddol fuan i hwyluso'r gwaith o adeiladu'r argae. Ymhen llai na dwy flynedd agorwyd y ffordd newydd i draffig. Adeiladwyd yr argae o bridd gyda'i chanol o glai wedi ei orchuddio â graean. Roedd y ddau ddeunydd yma i'w canfod wrth law, y graean ym mhen uchaf y cwm a'r clai ychydig yn is na safle'r argae. Ar yr ochr sy'n wynebu'r llyn rhoddwyd cerrig a gafwyd o chwarel gyfagos Arenig. Parhaodd y gwaith adeiladu o Awst 1960 hyd Awst 1965 gan greu llyn ryw ddwy filltir a hanner o hyd a milltir ar draws gyda dyfnder o 140 troedfedd yn ei fan dyfnaf a'r gallu i gronni 16,400 miliwn o alwyni o ddŵr.

We are all established with our families at Fron-goch, a barely noticeable hamlet between the site and the big city of Bala, and our advent here has virtually doubled Fron-goch's population … The widespread use of the Welsh language is some limitation on social activities, but evening classes in handicrafts have been attended by our wives and/or ourselves.

Rhan o lythyr gan beiriannydd gyda
Binnie a Deacon, Mawrth 20, 1962

102

102. Gwersyll carafanau'r gweithwyr adeiladu yn Fron-goch. Yn ei anterth roedd y cynllun yn gyflogwr mawr gyda chyflogau da yn cael eu talu. Daeth gweithwyr o bob rhan o'r wlad a thramor i weithio yng Nghelyn. I gadw cyfraith a threfn yn yr ardal lleolwyd plismon yn Fron-goch. Erbyn Hydref 1965, pan dynnwyd y llun hwn, roedd llawer wedi symud i safleoedd adeiladu eraill.

103. Adeiladu'r ffordd newydd ger Ciltalgarth, Mai 1960.

104. Uwchlaw'r Garnedd Lwyd, Mehefin 1960.

105. Llun awyr yn dangos y ffordd newydd wedi cyrraedd hyd at afon Celyn, Gorffennaf 1960.

106. Adeiladu'r bont dros afon Celyn ger Tŷ Nant, Ionawr 1961.

105

106

107. Trawstoriad o gynllun yr argae arfaethedig.

110

108. Safle'r argae gyda'r graig yn cael ei thrin yn barod i dderbyn y clai, Mai 14, 1962.

109. Dechrau gosod y clai, Mehefin 1962.

110. Nid nepell o'r pentref canfuwyd fod yna welyau eang o raean ar gael. Rhedai lorïau yn ddiddiwedd rhwng y pyllau graean a safle'r argae.

111. *Mae peiriannau trwm yn turio grafael ym mhen uchaf y cwm, a lorïau yn ei gario yn ddi-dor i'r mur argae ym mhen isaf y cwm. Aiff y lorïau heibio'r ysgol yn ddi-baid gan godi cymylau o lwch ar sych-hin, a môr o fwd ar dywydd gwlyb.*

Llyfr Log Ysgol Celyn, Gorffennaf 25, 1962

111

113

112. Ar ochr isaf yr argae adeiladwyd pwerdy i gynhyrchu trydan i'r grid cenedlaethol. Ar ochr dde'r llun gwelir ôl y pyllau clai uwchlaw'r cutiau, Ionawr 1965.

113. Oddi mewn i'r pwerdy mae'r gwaith o osod y pedwar turbin dŵr a fyddai'n cynhyrchu'r trydan yn mynd ymlaen, Ebrill 1965.

114. Y tŵr gyda'i bum llifddor ar hanner ei adeiladu, Medi 1964.

115. Llun awyr o ben uchaf y cwm. Mae'r dŵr yn dechrau cronni tra bo'r adeiladau yn y pentref un ai wedi cael eu dymchwel neu ar ganol cael eu dymchwel. Gwelir maint y pyllau graean sy'n gwneud i lawr y cwm edrych yn debycach i wyneb y lleuad na dim arall. Medi 12, 1964.

116

116. Ar Fedi 1, 1964, dechreuwyd cronni'r dŵr ac erbyn haf 1965 roedd y llyn yn llawn i'w ymylon a'r gwaith wedi ei gwblhau.

Yr Agoriad Swyddogol
Hydref 21, 1965

Wedi cwblhau'r gwaith, penderfynwyd cael agoriad swyddogol i'r llyn. Er i lawer amau doethineb hyn yn wyneb y drwgdeimlad a grewyd gan y boddi, bwrw ymlaen â'r trefniadau a wnaeth Lerpwl. Un syniad a gafwyd oedd gwahodd aelod o'r Teulu Brenhinol neu wleidydd blaenllaw i agor y llyn yn swyddogol, ond buan y distawodd y sôn yma, a phenderfynwyd mai doethach fyddai i Gadeirydd Pwyllgor Dŵr y Ddinas, yr Henadur Frank Cain, agor y llyn. Codwyd lefel gwyliadwriaeth ar y safle fel y nesâi diwrnod yr agoriad, ac er i lawer ddadlau fod Lerpwl yn rhoi halen ar y briw, ni fynnai'r Gorfforaeth dynnu'n ôl.

Anfonwyd gwahoddiad at bawb a oedd â chysylltiad teuluol â'r cwm. Yn ychwanegol gwahoddwyd cynrychiolwyr o'r Cyngor Sir, Cyngor Dosbarth Penllyn, Cyngor Tref Y Bala a'r cynghorau plwy. Gwrthododd y rhelyw o'r rhai a wahoddwyd fynychu'r seremoni gan ddadlau fod Lerpwl yn ailagor craith. Roedd ymateb y cynghorau yn wahanol gyda rhai yn mynd ac eraill megis Cyngor Dosbarth Penllyn yn gwrthod, er i aelodau o'r cyngor hwnnw fynd fel unigolion preifat. Un gwahoddiad nad atebwyd mohono oedd yr un a gafod Cadeirydd y Pwyllgor Amddiffyn, Dafydd Roberts, Caefadog. Ddeng niwrnod cyn yr agoriad bu farw a chladdwyd ef ym mynwent Llanycil.

Trefnwyd protest yn erbyn yr agor ac erbyn hanner awr wedi deg ar Hydref 21, 1965, roedd dros ddau gant a hanner wedi ymgynnull gyda mwy i ddod dros y ddwy awr nesaf. Ceisiwyd stopio ceir y gwahoddedigion a chafodd yr heddlu gryn drafferth i gadw'r ffordd yn glir. Roedd y sŵn yn fyddarol, a chafodd y gwahoddedigion amser digon anghyffordus. Ni ellid clywed dim drwy i wifrau y meicroffôn gael eu torri, a therfynwyd y seremoni ar ôl prin dri munud.

Er gwaethaf y brotest, teimlai rhai ei bod yn rhy hwyr o lawer – roedd y cwm wedi ei foddi.

Agor Llyn Celyn
('a thywyllwch a fu')

Y bustl a rhaib ei ystlys, – dŵr a gwaed
Dyr o'i gorff diwregys;
Llyn y grog, llieiniau'i grys,
Chweched awr, awr a erys.

Geraint Bowen

96

117

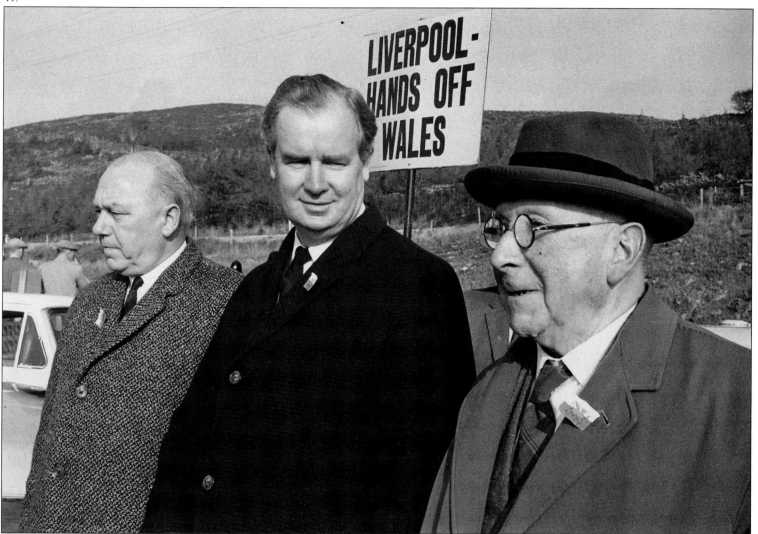

117. Elwyn Roberts, Gwynfor Evans a D. J. Williams ger yr argae ar ddiwrnod yr agoriad.

118

118. Yn y brotest ymddangosodd gwŷr mewn lifrai milwrol; y rhain oedd yr aelodau cyntaf o Fyddin Rhyddid Cymru (yr F.W.A.) i ymddangos yn gyhoeddus. Yn cario'r faner mae Cayo Evans, gyda Dafydd Williams ac Eirwyn Pontshan yn cydgerdded ag ef.

119. Y dorf wedi amgylchynu ceir y gwesteion tra bo'r cwnstabliaid William Jones, Fron-goch, a Ken Williams, Y Bala, yn cael cryn drafferth i'w hebrwng i ddiogelwch.

Taflwyd carreg at gar
LLEIDRFAER LERPWL
Meirion 1965

Goruwch dyfnder Tryweryn,
'Trais' a waedd y troseddyn:
seilam Sais ei limousine.

Derec Llwyd Morgan

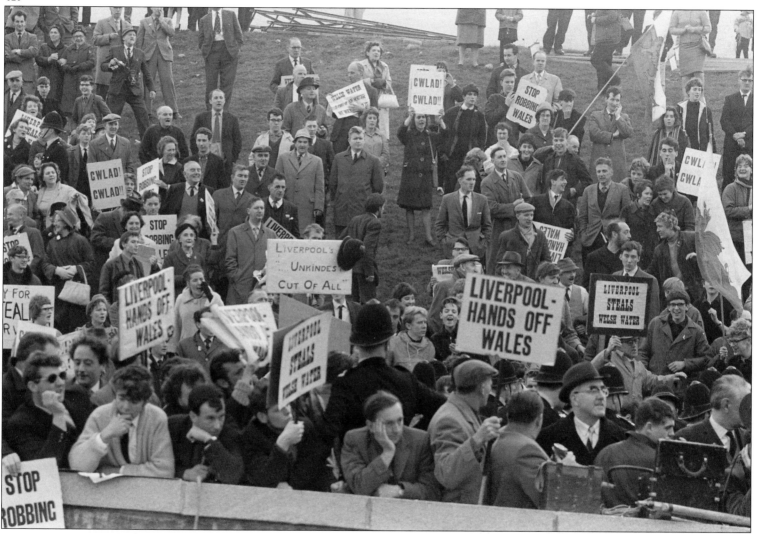

121. Rhan o'r dorf a ddaeth i ddangos gwrthwynebiad i'r hyn a oedd wedi digwydd yng Nghapel Celyn.

123

122. Golwg bryderus ar yr Henadur Frank Cain, J. H. T. Stilgoe, Peiriannydd Dŵr Lerpwl, a'r Arglwydd Faer David Cowley wrth wrando ar brotest y dorf.

123. Wedi seremoni o brin dri munud agorwyd y llyn yn swyddogol.

This is not a function to celebrate the fact that we are taking Welsh water. It is not a function that is intended to rub salt in the wounds of Wales. It is a function to establish the balance that will heal the friction of the past and lead to an amicable future for all of us.

Henadur W. H. Sefton, Corfforaeth Lerpwl

124. Yr heddlu yn gwarchod gwesteion Lerpwl (ar y dde) rhag cynddaredd y dorf tra bo'r Ditectif John Hughes (yn y canol gyda'r het) yn cadw golwg ar bethau.

124

The Welsh Nationalist elements gave the Liverpool City Councillors and their guests a really rousing reception at the much publicised Inauguration Ceremony in October ... Some of the City Councillors, who represent the docks areas of Liverpool, are no strangers to insurgent behaviour and could scarcely be restrained from tossing the ringleaders into the stilling basin.

Binnie and Partners, *News Magazine*, Mawrth 1966

Ar ôl ymweliad â Chwm Celyn ar ôl ei foddi

Er hardded yw yr hwyrddydd – a lliw nos
Yn llawn hud ar foelydd,
Er y gog ar gangau'r gwŷdd
Yno nid oes lawenydd.

Wylo a wnaf yng Nghelyn – o hiraeth
Am erwau y dyffryn,
Am hen oes, ddi-loes, ddi-lyn,
A'i Achos, man bu'r cychwyn.

Wylaf am yr anwyliaid – a hydrin
Ddirodres hynafiaid,
A'r llu hoff dan ddŵr a llaid
A dylif y fandaliaid.

John Lewis Jones

Ar Fedi 9, 1964, anfonodd Ysgrifennydd y Pwyllgor Amddiffyn un llythyr olaf at Gorfforaeth Lerpwl yn annog y swyddogion i alw'r llyn newydd yn Llyn Celyn ac nid Llyn Tryweryn Mawr fel y dymunai'r Gorfforaeth ei wneud. Am unwaith cydsyniodd Lerpwl â chais y Pwyllgor.

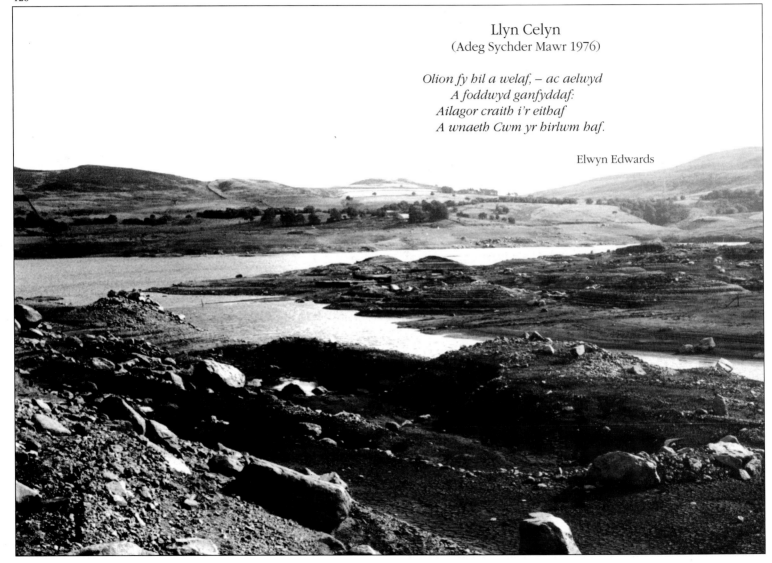

Llyn Celyn
(Adeg Sychder Mawr 1976)

Olion fy hil a welaf, – ac aelwyd
A foddwyd ganfyddaf:
Ailagor craith i'r eithaf
A wnaeth Cwm yr hirlwm haf.

Elwyn Edwards

Er i'r estron lwyddo i chwalu'r gymdeithas a darostwng y muriau, er i'r dyfroedd orchuddio'r sylfeini a'r erw gysegredig gerllaw, fe erys y llecyn yn gysegredig iawn i lawer. Cyfyd atsain mawl a chân i frig y tonnau uwchben, o'r fan islaw lle bu moliant am dros ganrif a banner.

Dafydd Roberts, Caefadog

Cydnabyddiaeth Lluniau

Archifau Gwynedd (Ardal Meirionnydd)

Casgliad Tryweryn (Dŵr Cymru):

67, 68, 82(a), 82(b), 82(c), 84, 85, 86, 87, 102, 103, 104, 105, 106, 108, 109, 110, 112, 113, 114, 115, 116, 123, 127.

Casgliad Cyngor Sir Feirionnydd:

3, 7, 8, 9, 11, 12, 13, 14, 15, 16, 18, 19, 20, 22, 25, 26, 27, 28, 29, 57, 58, 69, 83.

Casgliad Elizabeth Watkin Jones:

5, 23, 39, 46.

Amrywiol:

1, 49, 50, 52, 59, 65, 66, 97, 98.

Llyfrgell Genedlaethol

Casgliad Geoff Charles:

4, 17, 21, 30, 34, 35, 43, 44, 45, 47(a), 47(b), 48, 56 ,60, 61(a), 61(b), 62, 63, 64, 74, 75, 76 ,78, 79, 80, 81, 92, 94, 95(a), 95(b), 111, 117, 118, 119, 120, 121, 122.

Daily Post

41, 51, 124.

Watcyn L. Jones

31.

Gwasg Gee

53.

Y Farwnes Brooke o Ystradfellte

54(b).

Hulton Deutsche

10, 24.

Gwasg y Sir

71, 73.

John Albert Jones

100.

Gwasg y Lolfa

101.

Marian Delyth

125, 126.